中國美術全集

墓室壁畫一

全國百佳圖書出版單位
時代出版傳媒股份有限公司
黃　山　書　社

☆ 國家出版基金項目

圖書在版編目（CIP）數據

中國美術全集・墓室壁畫/金維諾總主編；羅世平卷主編.—合肥：
黃山書社，2009.12
ISBN 978-7-5461-0807-0

I.①中⋯ II.①金⋯ ②羅⋯ III.①美術—作品綜合集—中國—古代
②墓室壁畫—中國—古代—圖集 IV.①J121 ②K879.412

中國版本圖書館CIP數據核字（2009）第179445號

中國美術全集・墓室壁畫

總 主 編：金維諾　　　　卷 主 編：羅世平　　　　責任印製：李曉明
責任編輯：李桂開　　　　封面設計：蠹魚閣　　　　責任校對：李 婷

出版發行：時代出版傳媒股份有限公司(http://www.press-mart.com)
　　　　　黃山書社(http://www.hsbook.cn)
　　　　　（合肥市翡翠路1118號出版傳媒廣場7層　郵編：230071　電話：3533762）
經 　 銷：新華書店
印 　 刷：北京雅昌彩色印刷有限公司

開本：889×1194　1/16　印張：39.375　　字數：106千字　　圖片：827幅
版次：2010年8月第1版　　印次：2010年8月第1次印刷
書號：ISBN 978-7-5461-0807-0　　　　　　　定價：1200圓（全二冊）

凡 例

一、編 排

1.本書所選作品範圍爲中國人創作的、反映中國文化的美術品，也收録了少量外國人創作的，在中外文化交流史上具有代表性的美術品，如唐代外來金銀器、清代傳教士郎世寧的繪畫作品等。

2.根據美術品的表現形式和質地，共分爲二十餘類，合爲卷軸畫、殿堂壁畫、墓室壁畫、石窟寺壁畫、畫像石畫像磚、年畫、岩畫版畫、竹木骨牙角雕珐琅器、石窟寺雕塑、宗教雕塑、墓葬及其他雕塑、書法、篆刻、青銅器、陶瓷器、漆器家具、玉器、金銀器玻璃器、紡織品、建築等二十卷，五十册。另有總目録一册。

3.各卷前均有綜述性的序言，使讀者對相應類别美術品的起源、發展、鼎盛和衰落過程有一個較爲全面、宏觀的瞭解。

4.作品按時代先後排列。卷軸畫、書法和篆刻卷中的署名作品，按作者生年先後排列，佚名的一律置于同時期署名作品之後。摹本所放位置隨原作時間。

5.一些作品可以歸屬不同的分類，需要根據其特點、規模等情況有所取捨和側重，一般不重複收録。如雕塑卷中不收録玉器、金銀器、瓷器。當然，青銅器、陶器中有少數作品，歷來被視爲古代雕塑中的精品（如青銅器中的象尊、陶器中的人形罐等），則酌予兼收。

6.爲便于讀者瞭解大型美術品的全貌，墓室壁畫、紡織品等類别中部分作品增加了反映全貌或局部的示意圖。

二、時間問題

7.所選美術品的時間跨度爲新石器時代至公元1911年清王朝滅亡（建築類適當下延）。

8.遼、北宋、西夏、金、南宋等幾個政權的存在時間有相互重叠的情況，排列順序依各政權建國時間的先後。

9.新疆、西藏、雲南等邊疆地區的美術品，不能確知所屬王朝的（如新疆早期石窟寺），以公元紀年表示，可以確知其所屬王朝（如麴氏高昌、回鶻高昌、南詔國、大理國、高句麗、渤海國等）的，則將其列入相應的時間段中。

10.對于存在時間很短的過渡性政權，如新莽、南明、太平天國等，其間產生的作品亦列入相應的時間段中，政權名作爲作品時間注明。

11.某些政權（如先周、蒙古汗國、後金等）建國前的本民族作品，則按時間先後置于所立國作品序列中，如蒙古汗國的美術品放在元朝。

三、圖版説明

12.文字采用規範的繁體字。

13.對所選美術作品一般衹作客觀性的介紹，不作主觀性較强的評述。

14.所介紹内容包括所屬年代、外觀尺寸、形制特徵、内容簡介、現藏地等項，出土的作品儘量注明出土地點。由于資料缺乏或難以考索，部分作品的上述各項無法全部注明，則暫付闕如，以待知者。

四、目録及附録

15.爲了方便讀者查閲，目録與索引合并排印，在每一行中依次提供頁碼、作品名稱、所屬時間、出土發現地/作者、現藏地等信息。

16.爲體現美術作品發展的時空概念，每卷附有時代年表，個別卷附有分布圖，如石窟寺分布圖、墓室壁畫分布圖等。

五、其 他

17.古代地名一般附注對應的當代地名。當代地名的録入，以中華人民共和國國務院批準的2008年底全國縣級以上行政區劃爲依據。

18.古代作者生卒年、籍貫、履歷等情況，或有不同的説法，本書擇善而從，不作考辨。

中國美術全集總目

中國古代墓室壁畫

古人借助丹青文彩來裝飾陵寢梓宮，表現生死祈祥、魂魄神仙的觀念起于厚葬風氣盛行的年代。秦漢以前的墓室，繪在壁面上的祇見有幾何形的簡單紋樣，湖北江陵昊天觀1號楚墓椁板上繪有十一幅田字形的門窗圖形，并在門窗上畫出三角紋、菱格紋、捲雲紋、花瓣紋等繁縟細密的圖案，彩繪以金色爲地，雜用紅黃藍色，是先秦墓室中明確帶有葬俗意味的壁畫圖像。這些繪在墓室中的圖案紋樣，若與孔子和屈原所見當時王侯公卿廟堂的"宮墻文畫"作比較，題材和畫法都要簡單得多，幾不足道，但它的出現，不僅意味着古代墓室壁畫有着更早的歷史起點，更意味着一個關係到民族生命意識和社會習俗的觀念開始進入地下，在墓室梓宮中一路鋪陳，演繹着階段性的規律。

一 漢魏墓室壁畫

秦始皇統一六國，接過戰國諸子陰陽五行、道家神仙思想，生作尋仙之游，死起厚葬之風，他那滿藏奇器珍怪的陵寢，即是"上具天文，下具地理"的地下宮殿。漢承秦制，漢武帝尤敬鬼神，更熱衷于神仙方士之言、長生久視之術，進一步掀起了"事死如生"的時代風尚。漢代將先秦以來的魂魄觀念、神仙信仰、陰陽學説和天人感應等思想再加整合與創造，形成了一套集功能、習俗乃至思想觀念爲一體的葬制葬俗以及與之相配合的圖像。用這些圖像裝飾的帝王陵和貴族墓不僅有了如地上宮殿般的效果，而且具備了趨利避害、福壽神仙、蔭庇子孫的特殊功能。

西漢前期的壁畫墓經考古發掘的有兩座，即廣州象崗山南越王墓和河南商丘柿園芒碭山梁王墓，墓主人均係分封一方的諸侯王。南越王墓葬年代在漢武帝元朔末至元狩初年（公元前122年前後），墓葬規格雖高，但繪飾壁畫却甚爲簡單，僅在石門、前室四壁及頂石上發現了朱、墨兩色繪出的雲紋圖案，没有發現具有主題内容的壁畫。

屬于西漢前期的典型壁畫墓，當數芒碭山梁王陵。芒碭山西漢梁王陵位于河南商丘市東約90公里處，陵墓係"斬山爲郭，穿石爲藏"的大型多室崖墓。主室前區頂部繪一條蜿蜒長達5米、首南尾北的巨龍，頭角身翼，龍舌捲銜怪獸，左右畫朱雀、白虎，或爲四靈的早期形式。梁王墓壁畫色彩濃麗，形象誇張，具有很强的裝飾意味，壁畫圖像明顯還帶有楚地繪畫風格的痕迹。

西漢後期代表性的壁畫墓，集中在洛陽和西安兩地。洛陽地處當時歷史上的中原腹地，歷史文化遺存豐厚。洛陽考古發掘的西漢後期壁畫墓有：燒溝61號壁畫墓、卜千秋壁畫墓和淺井頭壁畫墓等。壁畫分布在主室頂部、前後山墻和隔梁上，有一磚一畫的形制，也有多磚拼繪的橫幅式構圖，還有塑繪結合的畫面。壁畫題材多見驅儺逐疫、祥瑞升仙以及歷史人物，圖像真實地反映了西漢時期的喪葬觀念和社會習俗。

卜千秋墓是長方形空心磚砌築的單室墓，墓頂作平脊斜坡。壁畫分布于主室後壁、平脊頂和墓門內額上方。平脊上的畫面，形象地表現了墓主升仙的主題。脊頂由二十塊磚拼接而成，畫面從西向東依次繪有黃蛇、日、伏羲、乘鳳御蛇的墓主人、九尾狐、蟾蜍、玉兔、仙人、白虎、朱雀、飛廉、青龍、持節羽人、月和女媧等，畫像間穿插流雲。圖像的這種結構和序列，清楚地呈現出西漢陰陽五行思想與神仙魂魄觀念主導下的葬儀圖像。

燒溝61號墓為中有隔梁的前堂後室結構，壁畫分布在墓頂中脊、門額、隔墻和後壁上，題材涉及歷史故事、驅儺逐疫和祥瑞升仙。歷史故事畫以橫幅長條形的構圖加以表現，在題材上做過討論的有二桃殺三士、鴻門宴等。漢代人將歷史人物畫進墓室中，文獻最早的記載見于《後漢書·趙岐傳》中，由燒溝61號墓可知，歷史人物作為壁畫題材進入墓室的時間較文獻記載要早很多。

漢代葬儀中用儺儀，沿用先秦方相氏驅儺的習俗，以保護死者不受山林精怪的侵擾。漢人重儺儀，更將驅儺的場景畫在了墓室中。燒溝61號墓前後室隔墻正面楣額之上鑲有梯形透雕彩繪花磚三塊，中為長方形透雕彩繪花磚，上部刻繪鳳凰、文豹、蟾蜍、九尾狐、青龍、白虎、朱雀、梟羊等仙靈祥瑞。畫面下半部突出描繪一繫紅裙的大頭怪物，其頭上方左右分別有一人一熊，臂上各立一人。長方形磚的兩邊為對稱的兩塊三角形透雕彩繪花磚，畫面構圖和內容基本一致，有神人、熊、穀紋璧、翼馬等各種祥瑞。隔梁背面為對稱的畫面，正中畫半開的門，門楣上方五璧相聯。象天之璧與門組合在一起時，圖像的指意即是天門。天門兩側對稱畫出升騰于昆侖山上的龍和羽人，畫的主題是引魂升天。這與隔梁正面打鬼隊伍上方的青龍、白虎、鳳凰、九尾狐、文豹、蟾蜍等仙界祥瑞鳥獸圖像彼此相呼應，説明驅鬼逐疫與羽化升仙二者之間存在着因果關係。這一現象對探討兩漢之際死生觀念的轉變有着重要的意義。

洛陽以西的西安，曾是西漢王朝和新莽時期的都城，當時的政治和文化中心。在渭水兩岸的京畿陵區分布有這個時期高規格的墓葬，目前已發現西漢時期的壁畫墓，重要者有西安交通大學附小西漢晚期墓、西安理工大學壁畫墓和西安南郊曲江池1號墓。西安交大附小墓現存壁畫24平方米，分布在券頂和東、西、北三壁。壁畫分上下兩部分，中間由菱格寬帶相分隔，上部二十八宿天象圖從墓頂通連到後壁上部，下部菱格帶以下壁面畫勾連雲紋和奇禽異獸。二十八宿天象圖按內外圓分別構畫，內圓畫流雲、金烏太陽和月中玉兔蟾蜍，外圓畫青龍、白虎、朱雀、黃蛇和與之相配的二十八宿， 附帶用人物、動物形象來標識各宿的名稱。圓環外繪彩雲翔鶴。後壁繪羽人持靈芝引導墓主靈魂升天，下有鹿鶴。壁畫構圖飽滿，色彩明麗斑斕。從其所用的雙綫填色的方式和勾連紋樣的組合形態，也可看出前後相繼的風格脉絡。

王莽篡立改元，推行新政，喪葬制度與習俗略有改變。屬于這一時期的壁畫墓以陝西千陽漢墓、咸陽龔家灣1號墓、洛陽金谷園新莽壁畫墓、偃師辛村壁畫墓爲代表。壁畫題材在西漢四靈祥瑞、引魂升仙的圖像基礎之上，又增加了宴飲庖廚、車馬游獵、樂舞百戲、神仙偶像等新的內容，并呈現流行的趨勢。

西漢的喪葬習俗和墓葬壁畫經過王莽朝的轉變，繼續流行。在東漢厚葬糜費風氣日漸盛行之際，原已具備表達喪葬功能的壁畫圖像得到進一步地拓展，宣揚死者生前殊榮的圖景與仙國盛宴的圖像成爲裝點墓室普遍熱衷的題材。從已發現的三十多座東漢壁畫墓來看，以洛陽爲中心，中原北方地區的東漢壁畫墓可謂得風氣之先，波及範圍則遠至遼東和河西邊地。

中原北方地區的東漢壁畫墓集中在河南、河北及周邊地區。河南發現有洛陽北郊石油站壁畫墓，洛陽機車工廠壁畫墓，洛陽西工壁畫墓，洛陽第3850號壁畫墓，洛陽偃師杏園村壁畫墓，新安鐵塔山壁畫墓，洛陽朱村漢魏壁畫墓，密縣打虎亭2號畫像石壁畫墓，密縣後土郭1、2、3號畫像石壁畫墓，滎陽萇村壁畫墓；河北有望都1、2號壁畫墓，安平逯家莊壁畫墓；其它地區陸續發現的東漢壁畫墓有：山西夏縣王村壁畫墓，山東濟南青龍山壁畫墓，江蘇徐州黃山隴壁畫墓和安徽亳州市董園村1、2號畫像石壁畫墓。

偃師杏園村東漢墓爲前後室磚石混築墓，前室的壁畫因封砌于夾墻中，故保存較完好。每壁畫面銜接，構成一幅長達12米的車騎出行圖。其中畫安車九乘、人物七十餘、奔馬五十餘匹，人物分爲前導屬吏、墓主、眷屬隨從三組。均以顏色平塗，局部勾勒。北壁東段出行圖下還發現小幅的庖廚宴飲圖，畫面漫漶。朱村墓主室北壁西部畫墓主夫婦坐于帳榻上，身前置几，身後設折角屏風，旁立男女侍，其中一男侍右手舉塵尾，左手執金吾。人物造型擺脫了此前漢墓壁畫中略帶誇張的表現方式，形象真實，姿態自然。南壁繪有車馬出行行列。東壁東耳室券門上繪有天祿。壁畫中墓主夫婦坐帳執塵尾是前此不見的圖像，它的出現可能會晚到漢魏之際。

安平逯家莊漢墓有熹平五年（公元176年）的榜題，是紀年明確的大型磚室墓，墓主身份顯赫。壁畫分布在中室、前室右側室和中室右側室這三個相通的墓室中。中室周壁繪出行圖，用格綫分爲上下四層，首尾銜接。主車及導從的車騎步卒安排得井然有序，前呼後擁。共計繪有一百多名步騎導從、七十二輛車，陣勢煊赫。前室右側室與中室右側室畫屬吏等候主人召見的情景。中室右側室南壁居中繪墓主人端坐帳內，帳右與帳後繪男女侍。圖中榻、屏風、斗帳、几的組合可以視爲東漢家具典型的設置。漢墓壁畫中代表墓主形象的畫面雖多，但以此幅最具肖像特徵，屬于墓主坐帳像的前期形式。墓主像旁邊北壁西側以鳥瞰視點繪製了一處府第，規模宏敞，布局規整，尤其是以熟練的透視技法描畫建築層次，可爲觀察中國繪畫空間表現的早期實例。

　　繁榮的中原地區文化在絲綢之路開通以後的設郡屯田和漢末板蕩之秋的移民風潮之際，傳到河西、遼陽等邊疆地區，因此這個時期邊疆地區的壁畫墓也呈現出較濃厚的中原文化特點。河西漢魏壁畫墓主要分布在武威一地。

　　同屬邊地的内蒙古，在托克托與和林格爾兩地先後發現有東漢時期的壁畫墓。

　　和林格爾新店子1號墓爲大型穹窿頂多室墓，壁畫保存較完好，畫上多書有榜題，約是桓帝或靈帝初年的墓葬。和林格爾墓前室的壁畫內容，包括了墓主生前升遷歷程的出行圖和墓主執掌使持節護烏桓校尉幕府的經歷。所畫墓主出行圖，隨着墓主官職不斷升遷，車馬隨從的行列不斷增多，場面更爲壯觀。前室南耳室表現牛馬放牧，北耳室表現碓舂、穀倉和炊厨，大幅面地描繪畜牧場面是具有邊地特色的題材。中室西壁和北壁上部分欄畫出的孝子、先賢、列女等歷史人物和祥瑞，數量之多在漢墓壁畫中首屈一指。下部是墓主家居宴飲和樂舞百戲。後室主要表現墓主晚年的生活場景。墓室內的壁畫相互聯繫成一個整體，題材各不相同但主題都圍繞着墓主人展開。

二　兩晋南北朝時期的墓室壁畫

　　兩晋壁畫墓在結構上沿用東漢晚期的形制，壁畫圖像出現了最具有時代特徵的墓主持麈尾像。麈尾是曹魏正始以來清談玄學之士的隨持之物，故當時又將清談稱作"麈談"。在社會時尚風氣的熏染之下，持麈尾的人物形象進入到了墓葬中，成爲晋墓壁畫中流行的新題材。考古發現的墓主麈談像在南邊有雲南昭通的霍承嗣墓，北邊見于北京石景山八角村西晋墓和遼陽上王家村東晋墓，更遠甚至到達朝鮮半島。朝鮮安岳東晋永和十三年（公元357年）冬壽墓和德興里廣開土王永樂十八年（公元408年）幽州刺史墓中都繪有墓主麈談像，可見其風氣的流布範圍。

　　兩晋喪亂之際，中原板蕩，大量人口向河西和遼東遷徙，中原地區墓室裝飾的風氣也隨之遷移到這些地區。這一時期的壁畫墓在東北和西北有較集中的發現，西北沿河西走廊直抵吐魯番，東北則有遼陽和高句麗壁畫墓的發現。

河西走廊魏晉壁畫墓已發現近五十座，多用小磚砌築，一類是製作講究的壁畫墓，另一類是以一磚一畫或多磚一畫爲形式的磚畫墓。壁畫墓以酒泉丁家閘晉墓群爲代表，其中5號墓屬于十六國時期保存最完好的大型壁畫墓。該墓東向，由前、後室組成。前室方形覆斗頂，頂部藻井繪覆瓣蓮花，四披及墙壁以土紅色寬帶分欄，畫天、地和人物圖像。墓頂四披上繪龍頭雲氣，下畫起伏的山巒，中部按方位畫神仙靈獸。東披繪太陽與東王公，西披繪月亮、西王母、三足烏和九尾狐，北披畫天馬，南披畫羽人天鹿，主題爲神仙祥瑞。四壁題材是與墓主人有關的農耕、社祭、宴飲、出行等場面，西壁上層的宴樂圖中墓主憑几執塵尾的形象，反映了與中原流行的墓主塵談畫像共同的特徵。

磚畫墓作畫的程序相對簡單，通常是在磚面上用白粉塗底，然後用墨綫勾出輪廓，再填入赭石、朱紅和石黃等色，用筆簡率生動，色彩單純，造型粗放而傳神。河西魏晉壁畫墓以河西走廊中西部最爲集中，分布在東起武威，西抵敦煌一綫，以酒泉、嘉峪關和敦煌等地藝術水平最高。

嘉峪關磚畫墓群分布在牌坊梁和新城等地。新城共發現八座磚畫墓，題材分布大體相同，墓門照壁上繪青龍、白虎等靈獸，墓室中畫現實生活。第1、3、4號墓在前室四壁、中室東西兩壁和後室後壁都有磚畫，前室主要表現耕牧、庖厨、狩獵和軍事，中、後室則以表現蠶桑爲主。敦煌佛爺廟灣照墙磚畫將歷史人物、靈獸祥瑞及天門大倉等圖像分層排列，清晰地表現出河西墓葬中逐漸成熟的系統圖像。

鴨綠江中游、渾江流域是高句麗民族的發祥地。20世紀前期日本學者發現的重要壁畫墓有角觝冢、舞踊冢和龜甲冢等八處。集安高句麗古墓群的第二次集中發現是在20世紀60年代以後。中國考古學者調查發掘高句麗古墓群十九處、八百一十餘座，重新清理了被日本人打開過的五盔墳5號墓、洞溝17號墓、洞溝12號墓，新發現了多處精美的壁畫。

禹山下墓區新發現的五盔墳4號墓，壁畫直接畫在石板上，四壁畫大幅四神，背景是忍冬、蓮花、火焰紋構成的華美的網紋。墓頂畫龍虎交纏，叠砌的抹角石上繪交龍、飛天、伎樂、仙人、神鳥和日月星象等，中原神話傳說中的伏羲、女媧、神農氏形象的出現尤其值得重視，他們多着褒衣博帶、籠冠大履，明顯有別于高句麗民族的傳統服飾，足見高句麗與中原文化的密切聯繫。

長川1號墓是座封土的石築雙室墓，壁畫色澤鮮麗，圖像精美，大致是按前堂後室的格局來安排壁畫的題材。前室西壁墓道口的兩側各繪一武士，東壁甬道口兩側各繪一門吏，甬道口之上爲蓮花火焰與蓮花化生。前室四隅影作楹柱。南壁分爲四欄，表現男女歌手、侍從、群舞、進饌等場面。北壁主要描繪伎樂百戲和山林逐獵。藻井底下畫四神，上爲佛像、菩薩和男女墓主禮佛圖，再上爲伎樂天人。墓主禮佛圖是高句麗壁畫墓中僅見的題材，樣式與中原北魏石窟中的禮佛圖如出一轍，是研究高句麗佛教與墓葬觀念的珍貴資料。後室石門外甬道兩側各繪一女侍，石門正面繪大朵蓮花，蓋頂石上繪日月星辰。四壁及藻井布滿蓮花圖案，類似織錦壁衣。

晋代壁畫墓在遼東郡首府（遼寧遼陽）仍有不少遺存，以王家村和三道壕1、2號墓爲代表。十六國時這裏先後建立了前燕、後燕、北燕政權，政治文化中心逐漸轉向都城龍城（今遼寧朝陽）。三燕是鮮卑慕容氏和鮮卑化的漢族馮氏建立的政權，文化傳統與漢族有別。壁畫墓有朝陽的北廟村1號墓（溝門子晋墓）、大平房1號墓、十二臺營子鄉袁臺子村墓以及北票的馮素弗墓。

南北朝時期，因地方世家大族在政治上的作用，使得文化的地域色彩日漸明顯。晋室南遷之後，南方因其地理氣候和社會習俗的原因，墓室多用模印磚畫。北方中原地區因鮮卑族入主中原，漢晋時期舊有的葬制葬俗也在發生變化。北朝墓葬形制的一個突出特點是墓室結構的簡化，東漢複雜的多室墓被長斜坡墓道單室墓取而代之。北朝後期皇室貴族墓出現了巨幅的墓道壁畫，墓室中則以表現墓主夫婦宴飲出行爲壁畫主題。北魏分裂之後，墓室壁畫大致可分爲西魏－北周和東魏－北齊兩個區域，東魏－北齊壁畫的藝術水平較高。

北魏曾三遷其都，力微三十九年（公元258年）定都盛樂（今内蒙古和林格爾），道武帝拓跋珪天興元年（公元398年）建都平城（今山西大同），太和十七年（公元493年）孝文帝遷都洛陽。在三個建都之地，目前已發掘的帝王陵都没見壁畫留存，在都城周圍發現的壁畫墓也爲數不多。

大同市御河東沙嶺村在2005年清理發掘了十二座北魏墓，其中7號墓是一座磚築壁畫墓，現存壁畫分布在四壁和甬道内。甬道頂部畫大幅伏羲女媧交尾像，壁面畫握劍持盾的武士。墓室正壁（東壁）和南北壁是相連通的分欄畫面，上欄畫多種奇禽瑞獸，下欄以東壁墓主夫婦對坐塵談像爲中心，兩側分別畫男女侍從和樂舞百戲、車馬出行、宴飲生活、倉儲氈帳等畫面。壁畫人物衆多，情節具有場景化的特徵。壁畫用綫粗重刻實，顏色相對簡單。據出土的漆書題記，墓主人是侍中尚書主客平西大將軍破多羅之母，葬于太延元年（公元435年）。這是目前大同地區發現的唯一完整保存壁畫的鮮卑貴族墓，對于觀察平城時期鮮卑喪葬圖像具有重要價值。

西魏、北周遷都于長安，帝王陵及貴族墓葬中較少發現壁畫。陝西咸陽北周武帝的孝陵不見壁畫的繪製。陝西地區發現西魏、北周壁畫墓的地點有咸陽的胡家溝、底張灣及華縣等地，墓葬的規格不高，壁畫保存狀况亦不甚理想。

北周壁畫墓引起學術界重視的是寧夏固原北周天和四年（公元569年）柱國大將軍、大都督、原州刺史、河西公李賢墓，這是一座長墓道的單室墓，壁畫分布在墓道和墓室中，現存的壁畫沒有發現表明墓主人身份的儀仗和墓主人的生活場景，祇有墓道兩壁的武士和墓室四壁的伎樂女侍，皆是單人獨立的畫面。

東魏、北齊首都鄴城所在地的河北磁縣，境內存有民間傳說的“曹操七十二疑冢”，1957年考古發掘的講武城1號墓和56號壁畫墓屬于其中的兩座，結果證明是北齊的壁畫墓。1970年以後，磁縣又先後發現了東魏、北齊皇室及貴胄的高規格墓葬，重要的如北齊驃騎大將軍、趙州刺史堯峻墓，北齊文昭王高潤墓，東魏茹茹公主墓，灣漳北齊大墓等。

高潤墓墓道未能徹底發掘清理，可見蓮花忍冬的裝飾圖案。墓室頂部畫天象和流雲。後壁繪墓主人坐帳，旁有執傘蓋侍從；左壁畫牛車出行，有人物、車輿、羽葆和華蓋等，右壁存兩身侍衛。

茹茹公主閭叱地連墓是北朝壁畫墓的一次重大發現。茹茹公主是柔然主阿那瓌的孫女，東魏興和二年（公元540年）5歲時嫁給了東魏實際掌權者高歡第九子高湛，即後來的武成帝（公元561–565年在位），去世時年僅13歲。茹茹公主墓道地面（地衣）仿地毯紋樣繪出精美的花草連續紋樣；墓道左右兩壁畫青龍、白虎爲前導，隨後是儀衛行列，夾道相對，立像大逾真人；後段上方是异獸和鳳凰等，下欄畫列戟、衛士和門吏。門洞上方畫正面的朱雀和异獸。甬道兩側繪侍史。墓室穹窿頂繪天象，四壁上欄分繪四神，下欄畫家居生活，包括正面的墓主像及持傘蓋侍女，左右兩壁分繪女侍和男吏。這些壁畫製作精美，明顯表現出皇室的規格。

灣漳北朝墓是帝王規格的大型壁畫墓，墓室高達12.6米，在目前發掘的帝陵中首屈一指。墓道壁畫表現的是四列儀仗隊伍，兩壁共五十三人，隊伍之上有神禽异獸。通長4.5米的巨型青龍白虎作前導，儀仗隊列後是兵闌列戟。墓道地面繪三縱列蓮花，兩側是纏枝忍冬花紋。墓門上方畫高達5米的正面朱雀，加以异獸羽兔和雲氣蓮花圖像。墓室內壁畫因盜掘和水浸之故保存不好，僅能分辨出墓頂的星象圖，四壁分三欄，上兩欄爲神禽异獸，下欄似表現人物活動。壁畫勾綫挺勁，造型生動傳神，達到了極高的藝術水平。

與鄴城高齊政權息息相關的山西太原，原是高歡的發迹地，北齊的第二個政治中心。這裏從70年代開始也陸續發現了一批高規格的北齊壁畫墓，如1973年發現的定州刺史、順陽王庫狄回洛墓，1979年清理發掘的右丞相、東安郡王婁叡墓，1987

年在太原南郊金勝村發現的北齊後期的壁畫墓，2000年太原東郊王家峰發現的北齊大將軍徐顯秀墓等。太原發現的壁畫墓比起鄴城來在規格上略低，但藝術水平却毫不遜色，可與河北磁縣北齊壁畫墓相媲美。

卒葬于北齊武平元年（公元570年）的婁叡墓，是晋陽地區壁畫墓的典型。婁叡是婁太后之侄，北齊文襄、文宣、孝昭、武成諸帝的姑表兄弟，右丞相、東安郡王、太尉、太傅、太師。婁叡墓繪于墓道的壁畫保存完好，西壁繪騎衛出行圖，東壁畫歸來圖，其中駝馬、騎衛、吹角等造型生動，形神俱妙。門楣正中繪獸面，兩側爲朱雀，石門扉上繪青龍白虎，布局嚴整，富有想象力。墓室内的壁畫因遭水蝕，保存情况不甚理想。墓頂繪有天象，四壁分爲三欄，上欄是以生肖動物來代表的十二時和神獸，中欄有四神、仙人和連鼓雷公，下欄後壁繪墓主坐帳，左右兩壁是爲出行而準備的鞍馬牛車，前壁繪樹下侍衛。婁叡墓壁畫技藝精湛，人物神態生動，人馬組合疏密有致，橢圓形的人物面相和染低不染高的手法特點，可與畫史上北齊畫家楊子華"簡易標美"的畫風相對應，是北齊壁畫藝術的經典之作。從婁叡家族的顯貴地位揣測，壁畫應是出自名家之手。

徐顯秀墓室壁畫人物在技法上不如婁叡墓精湛，但其中透露出更加明顯的歷史文化信息。畫中人物和馬鞍上的聯珠紋樣，侍女頭挽的飛鳥髻，人物面部采用類似龜兹壁畫的暈染法，構圖上運用統一的視點處理人物前後聚散組合等等特徵，不同于漢晋以來的繪畫傳統，對于瞭解北齊繪畫與西域間的交流，殊爲珍貴。

山東地區發現的北齊壁畫墓有1984年在濟南馬家莊發掘的武平二年（公元571年）祝阿縣令□道貴墓，濟南東八里窪北齊墓，臨朐縣海浮山天保二年（公元551年）威烈將軍、南討大行臺都軍長史崔芬墓。墓主均爲北齊的中下級官吏。

崔芬墓石門上繪身披鎧甲，手按盾牌的門吏。墓室頂部繪天象，四壁上欄畫四神异獸，下欄部分繪多曲屏風，屏面繪樹下男子與侍從舞者形象。西壁表現墓主夫婦出行圖。山東地區北朝墓壁畫，在内容氣息上最接近南朝。崔芬墓東壁上欄羽人執仙草戲龍，見于南朝拼鑲磚畫。西壁龕上出行圖中的墓主褒衣展臂，侍從扶恃的形象特徵，最早出現在傳爲東晋顧愷之的《洛神賦圖》中。尤其是竹林七賢一類的高士屏風人物，配畫侍女的圖像，是首見于南齊東昏侯玉壽殿七賢畫像的做法。這類與南朝風尚和繪畫有密切聯繫的圖樣，如何進入山東北朝的墓室中，仍是十分耐人尋味的問題。

東魏、北齊立國都短，文獻所記關于北齊的藝術，因没有更多的實物保存流傳，長期以來對其面貌的認識并不十分清楚，以磁縣、太原爲中心區的東魏、北齊壁畫墓的系統發現，不僅填補了東魏、北齊藝術的空白，而且爲觀察隋唐文物制度和藝術來源提供了重要的綫索。

三 隋唐墓室壁畫

隋唐是在經歷過南北朝長期分裂之後建立起來的統一王朝，西安作爲隋、唐的都城，前後長達三百多年。唐朝國力强盛，帝王崇尚厚葬，自唐太宗李世民營建昭陵，在唐朝開創了"因山爲陵"的先例之後，唐朝各代帝王的陵寢多依山構築，務求壯崇。在今西安周圍的乾縣、禮縣、涇陽、三原、富平、蒲城等東西綿延百里的範圍内分布着唐朝十八座帝王的陵墓。

隋朝因立國短暫，有隋代紀年的壁畫墓發現不多，已清理的隋代壁畫墓有1954年陝西西安東郊白鹿原發掘的大業十一年（公元615年）劉世恭墓，1956年西安東郊韓森寨發掘的開皇十二年（公元592年）吕武墓，1964年陝西三原雙盛村發掘的開皇二年（公元582年）李和墓，1984年西安東郊發掘的大業四年（公元608年）李椿夫婦墓等。這些墓保存情況一般不好，所存壁畫殘損較重。對于瞭解隋墓壁畫藝術面貌有價值的，是山東嘉祥英山開皇四年（公元584年）徐敏行夫婦合葬墓。

徐敏行墓于1976年發掘，墓主徐敏行（公元543–584年）經歷梁、北齊、北周、隋四朝，16歲時就在北齊踏上仕途，但在北周與隋均未得到重用，死時官位不顯。該墓爲圓形單室磚券墓，穹頂上繪天象；北壁畫墓主夫婦對飲宴樂，坐榻上爲山水畫屏風，婦女頭髻保留着北齊流行的飛鳥髻樣式，其圖本可能傳自北齊。西壁壁畫似表現爲男主人出行備馬的場面，東壁是四名宮女持宮燈前導、四名侍從護衛、四名女侍跟隨的牛車，兩側壁上方殘留有青龍、白虎的畫迹；南壁在墓門左右各繪持劍武士，門洞橫楣上畫奔馬，門洞内左右墙面上畫門下小吏和侍從，門洞外東西兩側各畫一手執門杠的司閽。人物的綫描精煉灑脱，造型準確，形象比例合度，人物組合自然。作爲背景的山水屏風，雖不是獨立的畫面，但對于研究山水畫的早期表現形式，仍然值得重視。

唐代壁畫墓的發現是在帝王陵調查的基礎上進行的，20世紀以來在調查西安唐代帝王陵的過程中，最大的收獲是陸續發現了帝陵周圍的陪葬墓，從中清理出大量精美的壁畫，獲得了唐代帝王陵寢制度及其陪葬墓的詳盡資料。

帝陵陪葬墓的清理發掘工作主要集中在獻陵、昭陵和乾陵範圍内。據考古調查，唐高祖李淵的獻陵陪葬墓爲三十座，墓主人大多是皇室宗親，經發掘的壁畫墓有高祖第十五子李鳳墓，高祖第六女房陵公主墓等。李鳳墓墓室頂部繪星象，天井、過洞、甬道和墓室中均影作木結構建築，甬道兩側在長廊建築中的各間内繪女侍，過洞西壁繪有牽駝圖，是陪葬墓中年代較早的實例。

唐太宗李世民的昭陵陪葬墓，《唐會要》記有一百五十五座，《長安志》記一百六十六座，田野考古調查核實的數字爲一百八十五座 。從70年代以來發掘的三十多座陪葬墓的情況來看，墓主人既有皇室宗親，也有文武功臣。代表性的壁畫墓有李勣墓、鄭仁泰墓、阿史那忠墓、安元壽夫婦墓、楊恭仁墓、段簡璧墓、楊溫墓、長樂公主墓、韋妃墓、新城長公主墓等等。這些壁畫墓主人的入葬時間從貞觀十一年（公元637年）到開元二十九年（公元741年），形成一個長達百年的系列。

　　昭陵諸墓中貞觀十三年（公元639年）楊恭仁墓、十四年（公元640年）楊溫墓、十七年（公元643年）長樂公主墓年代較早。太宗第五女長樂公主墓在墓道兩壁畫青龍白虎引導的雲輅、列隊儀衛、甲胄武士和男侍，過洞上方畫門闕，墓室門內表現女侍，畫風細膩靈活，造型生動。墓道上雲輅與祥雲、异獸相伴，似乎還有北齊墓道壁畫的影子。門闕和佇立的女侍畫像，又能在北周壁畫墓中找到原型。

　　太宗外甥女、邳國公夫人段簡璧卒葬于永徽二年（公元651年），墓内壁畫大多采取單人平列式的布局。阿史那忠墓過洞、天井等處亦以單人平列方式描繪女侍、男侍和文吏，墓道西壁繪牛車出行。第二天井東西兩壁繪戟架，各列戟六根，與追贈鎮國大將軍、荆州大都督、上柱國等官位品級相符。非常明確的等級特徵是昭陵陪葬制度嚴格化的表現，列戟和儀仗直觀地標示出墓主的身份和地位。

　　新城長公主墓在昭陵陪葬墓中規格最高。新城長公主係太宗第二十一女，唐太宗與長孫皇后嫡出，生前頗得寵愛，龍朔三年（公元663年）暴卒後按皇后禮陪葬于昭陵。墓道兩壁對稱繪製青龍、白虎和儀衛鞍馬，其中西壁有抬轎，東壁有犢車的畫面；墓道北壁過洞上部繪闕樓；過洞、天井、甬道和墓室内有斗栱、平棋等建築彩繪，壁面上繪鹵簿人物。壁畫人物有内外之別，如第一過洞繪男侍，往裏則皆爲女侍，表示進入内宮。人物體態優美且富于變化，神情刻畫自然生動。

　　乾陵現知的陪葬墓有十七座，考古發掘的永泰公主李仙蕙墓、懿德太子李重潤墓、章懷太子李賢墓的墓主人都是李唐與武周政治旋渦中的犧牲品，在中宗復位後，特將李重潤和李仙蕙從洛陽遷來陪葬于乾陵，并號墓爲陵，又將原來以雍王身份陪葬乾陵的李賢追封爲章懷太子。這三座壁畫墓規格高于普通的陪葬墓，壁畫藝術造詣很高，反映了初唐人物畫的水平。

　　永泰公主墓在墓道繪武士儀仗、青龍白虎、闕樓城牆和山水樹木。各過洞頂部繪寶相花平棋圖案和雲鶴。前後甬道東西兩壁繪人物、花草、假山等，後甬道頂部爲雲鶴圖。前後室頂部繪星象。壁面的侍女在全墓壁畫中最爲精妙。

　　懿德太子李重潤墓規模宏大，全長100.8米，由墓道、六過洞、七天井、八小龕、前甬道、後甬道、前室及後室等八部分組成，除小龕外均繪壁畫。墓道兩側壁繪闕樓、城墻和儀仗，爲太子大朝儀仗圖。兩壁儀仗布局相近，前爲車駕，緊隨騎馬儀仗。後面是步行儀仗，旌旗飄揚。闕樓爲三出闕，仰畫飛檐，巍峨壯觀，代表了唐代的界畫水平。各過洞繪馴豹、架鷹鷂的男侍及女侍。從甬道到前後室壁面表現宮廷生活，衆女侍分別捧持燭臺、盤、包裹、瓶、杯、團扇等日常生活用具或樂器，場面壯觀華麗。

章懷太子李賢墓壁畫是在景雲二年（公元711年）追贈章懷太子并祔葬房妃時重繪的。墓道東壁繪狩獵出行、禮賓、儀仗和青龍，西壁對稱地畫打馬球、禮賓、儀仗和白虎。前後室則以各種活動的女侍爲主，其中前室西壁的觀鳥捕蟬圖頗負盛名。禮賓圖繪于墓道東、西兩壁，各繪三名唐朝官員前導，後隨朝見的客使。西壁爲高昌、吐蕃和大食國使臣，東壁爲拂菻（東羅馬）、日本和渤海國。人物形貌姿態、服飾相貌皆有民族特色，真實地再現了當時中外各族友好往來的歷史圖景，可與傳爲閻立本的《外國圖》、《王會圖》，周昉的《職貢圖》（臺北故宮博物院藏）相參照，由此得以瞭解這類題材在唐代繪畫的面貌。

西安地區，唐代的壁畫墓除上述的帝王陵及陪葬墓外，在西安市郊和毗鄰的京畿地區還發現了大量的唐壁畫墓。重要者有武周天授元年（公元690年）金鄉縣主與其夫于隱合葬墓，天寶四年（公元745年）蘇思勗墓，興元元年（公元784年）唐安公主墓，顯慶三年（公元658年）執失奉節墓，景龍二年（公元708年）韋浩墓，景龍四年（公元710年）韋泂墓，中唐的韋氏墓，貞觀四年（公元630年）淮安王李壽墓，景雲元年（公元710年）節愍太子李重俊墓等。

蘇思勗（公元670–745年）墓最突出的是墓室東壁樂舞圖，樂隊分列兩側，居中方毯上一胡人迴旋舞蹈，舞者動作及樂隊所持樂器再現了唐代流行的胡騰舞，是研究唐代樂舞和音樂舞蹈文化交流的形象資料。墓室兩壁繪樹下人物六扇屏風畫。

唐安公主係德宗長女，其墓甬道兩壁繪男女侍從，墓室南壁、北壁有朱雀和玄武，東壁和頂部的天象圖殘損脫落。墓室西壁所繪花鳥壁畫是目前所知有明確紀年的最早的花鳥作品，畫面取對稱構圖，兩側各有花樹，右上角有兩隻飛翔的野鴨。畫面中心爲棲息的斑鳩、鸚鵡、鴿子和黃鶯，姿態各不相同。唐代中期開始，墓室內繪製花鳥壁畫漸成風氣。

南里王村前後發掘了三百餘座隋唐墓葬，1986年發掘的中唐壁畫墓尤爲重要。這座墓未出土墓志，根據地望推斷應爲韋氏墓。墓室西壁畫六扇屏風仕女，樹梢染綠，小鳥高翔，仕女悠游其下。構圖以相毗連的兩扇爲一組，左右兩組爲立像，中間一組爲坐像。盛裝婦女梳抱面髮髻，短衫長裙，後隨侍從，彈琴賞花，怡然悠閑。

李壽（公元577-630年）是高祖李淵的從弟，死後配享高祖廟庭，其墓道東西壁用紅色帶分為上下兩層，上畫行圍射獵，下為聲勢浩大的騎馬出行圖。過洞南壁繪重樓，東西壁繪步行儀仗隊。第三天井繪牛車、牛耕、播種、牛欄、飼養家禽、推磨、擔水、庖厨諸事。第四天井東西壁各繪一戟架。甬道南段東西兩壁上部繪飛天，中部繪侍女和內侍，下部繪文武侍吏；北段東西兩壁分繪佛寺和道觀。李壽墓壁畫內容複雜，有宅院歌舞，有倉廩馬厩，還有園林與侍女。墓道所繪外出游獵題材早見于太原婁叡墓壁畫，列戟題材和分欄構圖的方式亦沿襲北齊；而過洞上方繪門樓，自甬道向內佇立儀衛、男侍和持物女侍等等，也見于北周壁畫。據此可以瞭解早期唐墓壁畫對南北朝藝術的吸納和傳承。

節愍太子李重俊墓，墓道北壁畫闕樓，過洞、天井下繪女侍、文吏和宦官等，人物刻畫細膩工整，色彩艷麗，侍女頭上貼金。前甬道頂有東西對稱的瑞鳥，墓室頂部為日月星象，東西壁屋脊上存有對飛的鴛鴦。北壁和西壁棺床上部有人物樹石屏風，題材畫法均有特點。

東都洛陽的唐壁畫墓，規模較大者有南郊花園村開元二十八年（公元740年）唐睿宗貴妃豆盧氏墓，壁畫有不同程度的毀壞。現存壁畫有男、女侍，頂部殘留雲氣翔鶴。關林皂角樹新村唐墓壁畫可辨人物、馬匹、山石和林木等題材，畫法簡潔明快。這兩座壁畫墓，在構圖與技法上與西安地區唐代壁畫墓大致相同。

山西太原唐墓壁畫地區特色較濃厚，重要的壁畫墓集中在太原南郊金勝村、董茹莊、太原化工焦化廠等地。壁畫內容大致相近，通常在墓頂繪挽結的花幔，靠下部位繪日月、星象和四神，墓室四壁畫侍衛、文吏、女侍、牛車、馬夫和牽駝馬圖等。太原唐墓最引人注目的當屬樹下老人壁畫屏風，如金勝村3-6號墓、337號墓所繪者。屏風多為八扇，也有六扇，樹石景物各異，老人的動作、姿勢、表情也互不相同。唐代把墓室作為死者的生活場所，努力用壁畫摹仿出居室的模樣。早期是用紅色繪立柱、斗栱、闌額、枋及人字叉手，盛唐之後則大量出現摹仿屏風的畫面。金勝村337號墓四壁皆用紅色繪立柱、斗栱、闌額、枋及人字栱形鋪作，影作與屏風共存，屬于一種裝飾墓室空間的過渡形式。

以西安為中心的唐墓壁畫所反映出來的題材和風格傳播到唐代邊疆地區，北京地區最重要的壁畫墓是1991年海淀區八里莊發現的王公淑及夫人吳氏墓。王公淑為山西太原人，官至幽州節度判官兼殿中侍御使、銀青光祿大夫。此墓為方弧形單室磚墓，墓室北壁通壁畫牡丹蘆雁圖，其餘三壁殘存裝飾花紋和家居生活片段。牡丹蘆雁圖至為珍貴，畫面以牡丹花叢為中心，牡丹下繪兩隻蘆雁，花頭上有翻飛的蝴蝶。在壁畫下角對稱畫有秋葵和百合花。花葉雙勾填色，構圖對稱。以牡丹為題材的花鳥畫，興盛于唐朝，出現了專擅牡丹花鳥的著名畫家邊鸞。

固原和新疆地區的唐代墓室壁畫現存有多扇式的屏風畫。固原南郊鄉羊坊村聖曆二年（公元699年）梁元珍墓發現于1986年，天井東西兩壁共繪人物牧馬圖六幅，甬道兩壁各畫一幅牽馬圖。墓室中東壁和南壁主要繪男女侍，西壁和北壁共繪有十扇樹下人物屏風，頂部所繪星象圖較完整。

新疆唐墓壁畫集中在吐魯番阿斯塔那、哈拉和卓墓地，自1963起共發掘古墓四十二座，主要是唐西州時期的墓葬，所發現的唐墓壁畫以屏風畫最有特點。

65TAM38爲大型雙室墓，年代約在大曆年間（公元766–779年）。前室頂部繪雲紋和飛鶴，四壁上部繪童子騎飛鶴和飛鶴銜花草等圖案。後室穹隆頂爲星象，後壁繪六幅屏風狀樹下人物圖，每幅均用纏繞藤蘿的大樹作背景，主要人物戴幞頭，着袍帶，或立或坐，其旁有侍者一人。一說表現的是歷史故事，分別描述王羲之書扇、狄仁杰借雙陸進諫、謝安轉棋、蕭翼賺蘭亭等情節。

72TAM217壁畫墓的年代在8世紀下半葉，墓室後壁畫六曲花鳥屏風，從左起分別爲藥苗家鴨、蒲公英錦雞、萱草鸂鶒、水蓼鸂鶒、鳶草家鴨和藥苗錦雞，禽鳥在種屬、雌雄和朝向上大致左右相對。每一幅上端描繪遠山雲靄，小鳥高翔，中央的草卉花開并蒂或枝生連理，禽鳥立于花卓根部，地上點綴小草石塊。造型簡括而生意盎然，綫條和設色都富于表現力，鳥尾羽毛的硬直和胸腹絨毛的細軟富有質感。此幅花鳥屏風形式完整，它的出土對于認識中國早期花鳥畫的發展十分重要。

除壁畫模擬屏風畫外，1972年在阿斯塔那墓群還有木骨絹面屏風唐畫出土，彌足珍貴，題材有弈棋仕女、舞樂和牧馬。它們同樣是用作裝飾墓室，其功用與壁畫相當，而繪製更加精細。

以西安唐代帝王陵和陪葬墓爲中心的唐代壁畫墓雖然繪製未必出自名家之手，但從壁畫的技藝來看，很多皇族外戚、高官顯貴的墓葬壁畫也非泛泛之筆，年代完整而系統的唐墓壁畫展示了這一時期匠師們在繪畫上的普遍水平。他們追慕時尚，因而能够印證像閻立本、吳道子、張萱、周昉、邊鸞這樣一些畫壇名家的樣式與技藝，填補了傳世作品序列中的若干缺環，對于完整地重構唐代繪畫史具有重要意義。

四 五代兩宋墓室壁畫

五代十國雖世道紛亂，但因繼承唐朝文化的流風，書畫藝術活動仍在繼續，特別是在偏安一隅的西蜀和南唐，統治者雅好文學，推重書畫，中原畫家紛紛南就，宮廷和畫院中聚集了黃筌、顧閎中、周文矩、王齊翰、衛賢、徐熙、董源等一批杰出的畫家。 南北畫風、各家技法彼此爭竸，繪畫的題材除了人物之外，又在山水和花鳥畫上開啟新的意趣，在今天傳世的五代繪畫作品和墓室壁畫上能看到這個時代的清晰面貌。

五代十國的壁畫墓以1942年四川成都前蜀王建永陵的考古發掘爲起點，半個多世紀以來又陸續發現了八處高規格的壁畫墓，分別是南唐先主李昪的欽陵（公元943年）和中主李璟的順陵，吳越國錢寬墓（公元900年），後蜀孟知祥的和陵（公元934年），後周恭帝柴宗訓（公元959–960年在位）的順陵，後周節度使馮暉墓（公元958年），後梁義武軍節度使王處直墓（公元924年），吳越國二世主錢元瓘元妃馬氏康陵（公元939年）。在以上的九座壁畫墓中，有七座是國主及其嬪妃的墓，餘下的兩座是雄踞一方的節度使墓，這批身份顯貴且紀年明確的壁畫墓相對完整地保存了五代繪畫藝術的時代特徵和風格面貌，對于研究唐宋繪畫的轉型過程顯得極爲重要。

南方墓葬呈現出一個共同的特點，即壁面采用雕刻與彩繪相結合的方式，從而使壁面的層次感得到明顯的強調。在已發現的帝王及嬪妃陵墓中，前蜀光天元年（公元918年）高祖王建的永陵內有王建的石雕坐像，棺床四周雕刻有造型生動的樂舞浮雕，墙上繪刻有龍和門將壁畫，首次揭示了五代墓室裝飾手法的這種變化。南唐二陵中李昪（公元937–943年在位）欽陵，前室和中室用磚砌，後室用石造；李璟的順陵全用磚造，建築仿木構形式，布局結構嚴謹。這二座陵在建築構件上彩畫有柿蒂紋、蕙草雲紋、纏枝牡丹、寶相花、海石榴等圖案，紋樣活潑多樣，色彩穠艷，開宋墓建築彩畫裝飾之先河。欽陵中室門額上方浮雕彩繪雙龍。門兩側浮雕彩繪的武士像，還是後世將軍門神畫的先期樣式。康陵前、中、後三室均采用雕刻彩繪貼金與壁畫配合的手法，龍、虎、十二生肖都是在雕刻之後貼金敷彩，壁面則大面積地彩繪牡丹花，整個墓室被裝點得富貴華麗，層次豐富。保存在中室和後室的牡丹花樹，采用對稱的構圖和裝飾的手法，具有畫史文獻描述的"裝堂花"的類似特點。

在南方壁畫墓中刻繪并用的時興做法同樣是北方五代壁畫墓的裝飾特點。陝西彬縣的馮暉墓由墓道、甬道、前室、耳室和後室幾部分構成，在甬道、耳室和小龕壁繪有蔓草、牡丹雙鳳，前室頂部繪二十八宿星象，周壁繪端立的女侍以及庖厨和宴飲場面。墓中出土有兩隊樂舞磚雕，隊前各彩繪一名樂隊指揮，由此可看出該墓壁畫在裝飾手段上繪刻參用的特點。河北曲陽的王處直墓有甬道，前、後室和左、右耳室，除後室頂部外，其餘壁面都繪滿了壁畫，包括人物、花鳥、山水等流行的題材。鑲嵌在前室壁面的奉侍、伎樂場面即是彩繪漢白玉的浮雕畫面，這兩塊人物彩繪浮雕凸起于壁面，原是作爲該墓室中的主體畫面，但又與墓室內的壁畫互相映襯，既起到突出畫面的效果，又達到整體上的協調一致。墓室後壁的通壁大畫牡丹湖石圖，以中央的牡丹花叢爲中心作對稱式的構圖，圖樣畫法承續唐代，可與王公淑墓牡丹蘆雁圖相參照。墓中兩幅山水畫以水墨爲主，則是研究早期山水畫不可多得的寶貴資料。

五代墓室壁畫題材內容和風格的變化，到宋代呈現出新的時代特點和價值取向。宋代壁畫墓的典型形制是仿木結構的磚室墓，由晚唐五代簡單的磚室墓發展而來。這種墓室形制從北宋中期，特別是神宗（公元1068–1085年在位）以後，在中原普遍流行，內部裝飾磚雕與彩繪相結合。墓室壁畫表現日常生活場景的畫面明顯增多，營造的居住生活環境愈益逼真。磚砌墓室仿木結構日趨複雜繁麗，不少墓室磚壁上雕出門窗、桌椅、屏風、衣架、燈檠、櫃子、鏡臺和刀尺等圖像，形成磚雕與繪畫相結合的裝飾格局。

宋代壁畫墓主要分布在北方的河南、山東、河北、山西、陝西和甘肅等地，尤以鄰近北宋東京汴梁（今河南開封）的黃河中下游地區最集中。在江蘇、福建和江西等南方地區，壁畫墓僅有少量發現。由于南方的地理氣候條件等原因，宋室南渡并沒有使墓葬壁畫裝飾風氣在南方流行開來。宋墓壁畫按一定的方位構圖布局，畫面往往圍繞墓主夫婦開芳宴展開，壁畫圖像與墓室空間密切配合，從中可以明顯看到陰陽禁忌、神仙孝行以及風水學說的影響。迄今爲止發現的宋代壁畫墓，大多屬于無官品的鄉村上戶和富家商賈，墓制相對簡省，畫工也屬尋常的民間畫工，世俗趣味和地域化的表現相對濃厚。

宋代帝后陵墓僅在河南鞏縣（現鞏義市）洛河南岸的太宗李后陵中發現有壁畫。元德李后是太宗賢妃、真宗生母，卒于太平興國二年（公元977年），真宗即位後于咸平三年（公元1000年）按皇太后禮祔葬于太宗永熙陵之西北隅。墓室內采取了磚雕、綫刻、斗栱彩畫和壁畫四種裝飾方式，壁畫僅在墓室穹頂至影作屋檐以上有彩繪痕迹，上有星象，下有祥雲繚繞中的宮室樓閣。栱眼壁墨勾盆花。石墓門上綫刻高大的武士形象，這一題材已在五代十國陵墓中見到。

以河南爲中心的北方地區宋代壁畫墓以1951年發掘的白沙宋墓爲起點，在隨後半個世紀中陸續都有出土，重要的壁畫墓有禹縣元符二年（公元1099年）趙大翁墓，新安縣城關鎮宋村北宋墓，新密平陌村大觀二年（公元1108年）墓，河南登封黑山溝北宋紹聖四年（公元1097年）墓等。

元符二年（公元1099年）趙大翁墓（1號墓）是白沙宋墓中保存完整的墓葬，分前後兩室，前室扁方形，後室六角形。磚砌仿木建築，斗栱爲單抄單昂重栱五鋪作，室頂寶蓋式。墓室中的壁畫保存完好。甬道兩壁畫背錢串、持酒囊、牽馬的侍從數人。墓門兩側畫持骨朵的護衛，東壁畫女樂十一人，西壁雕畫墓主人夫婦對坐宴飲像。男女墓主宴飲、觀賞散樂雜劇演出的場面即是當時流行的"開芳宴"。後室表現墓主人内宅的生活，北壁婦女啓門，西北、東北兩壁砌破子櫺窗，西南壁繪對鏡戴冠的婦人，東南壁繪男女侍。

圍繞開芳宴，壁畫中出現不同形式的與散樂雜劇相關的圖像。如1991年發現的安陽小南海水庫壁畫墓，壁畫共八幅。其中南壁左側的雜劇圖，據考證，所表演的情節爲成編于宣和四年（公元1122年）的《三十六髻》。新密市牛店鄉下莊河村宋墓，壁畫繪有伶人收徒、伶人供奉祖師爺等内容。

河南宋代壁畫墓最具有代表性的是新密平陌大觀二年（公元1108年）墓和登封黑山溝墓。平陌宋墓爲仿木結構八角形單室磚墓，墓頂、栱眼壁和建築構件上彩繪裝飾圖案。除門南壁無壁畫外，以南北爲軸綫，對稱繪製壁畫。北壁繪懸幔、垂帳和假門，東北和西北壁畫書寫圖，西壁家居與東壁備宴相對，西南和東南壁繪梳妝圖。頂部共八幅畫，以孝子和升仙圖相配列。東南繪"行孝趙孝宗"，東壁繪"行孝鮑山"和"王相（祥）"，西壁爲閔子騫行孝，西北壁爲"四（泗）洲（州）大聖度翁婆"，東北爲仙人行列，北壁以祥雲樓閣象徵天堂仙境。

河南登封黑山溝紹聖四年（公元1097年）墓也是仿木結構八角形單室磚墓，壁畫分三層描繪。墓室下層倚柱之間繪墓主夫妻對坐，起居宴樂的場景；墓室中層建築栱眼間畫有八幅孝行故事，榜題清楚。上層墓頂也有八幅畫面，表現的是墓主夫婦往生天國仙境的情節。壁畫圖像組合有按陰陽易數方式繪製的意味，反映了宋代葬俗"拘于陰陽禁忌"，孝行與升仙配位的特點。

墓室中表現孝行的畫面，在河南林縣、滎陽、嵩縣等地的多處墓葬中出土，少者十幾幅，多者二十多幅，滎陽司村宋墓所見孝行畫十九幅，均有榜題，圖文事迹與當時流行的"二十四孝"內容相合。多幅孝行故事進入墓葬之中，反映了儒學思想與升仙思想在宋代再次結合後所呈現的新形式。

南方地區宋壁畫墓資料不及北方豐富，四川、江蘇、福建、江西等地有少量的宋壁畫墓發現。四川地區的石室墓裝飾題材也以開芳宴爲中心，輔以武士、四神、婦人啓門和孝子故事等，采取的是浮雕的形式。

四川、江蘇、江西、福建等地相繼發現的宋墓壁畫，擴大了對兩宋壁畫墓的認識。從壁畫題材內容、繪畫風格技法來看，閩贛兩地有較多的一致性，反映出兩地文化及社會習俗的相關特點。

五 遼、金、西夏墓室壁畫

興起于漠北草原的契丹族，驍勇善戰，據有北部中國的大片土地，建國後分別設上京于臨潢府（今内蒙古巴林左旗林東鎮），設中京于大定府（今内蒙古寧城），設東京于遼陽府（今遼寧省遼陽市），設西京于大同府（今山西省大同市），設南京于析津府（今北京市）。這五京之地，大體也是遼代壁畫墓的集中分布地區。 由于遼對境内的游牧民族和農耕民族采取“因俗而治”的方針，尊重各自的文化傳統和民族習俗，“以國制治契丹，以漢制待漢人”（《遼史·百官制》），因此遼代壁畫墓明顯呈現出兩種不同的面貌。一類是契丹皇帝陵和貴族墓，主要見于遼上京、中京和東京腹地，并呈聚族而葬的特點。另一類是漢人墓，主要發現在遼南京、西京附近和東京的部分地區。

契丹族最初并無築墓埋葬的習俗，後來逐步吸收漢文化，也出現了墓葬。遼政權建立後，開始仿照唐制修築墓室，厚葬風氣急劇蔓延。墓室規模之大，隨葬物品之豐富豪華，已超過了同時的中原地區。除常見在壁面上作畫的做法外，契丹族還流行在墓壙内安放柏木護墙板，壁畫直接繪在木板上。另有在石棺、木棺内壁施繪的做法，這些“棺畫”的功能與壁畫相同。遼墓壁畫的題材同樣具有與游牧生活和傳統習俗相適應的特點。早期遼墓多以游牧生活和草原風光爲主，布局簡單，賦色單純，裝飾意味較濃。中晚期以後，大量出現儀衛、伎樂、侍宴、神獸等内容，在受漢族文化影響的同時仍部分保持着契丹民族的特色。

遼壁畫墓最先示諸世人的是帝王陵。其中以遼聖宗慶東陵保存最好。慶東陵的建築彩畫在已發現的遼墓中等級最高，在墓内磚砌仿木構件上及墓壁上方，工筆彩繪龍鳳、花鳥、祥雲、寶珠以及網格狀圖案。在墓道、前室及其東西耳室、中室和各甬道壁面上，描繪與真人等高的人物七十六身，人像上方都墨書契丹小字榜題。東陵最有特色的壁畫，當屬中室四壁所繪的山水。畫面上雲彩淡淡，雁翔翩躚，湖水盈盈，野獸出没山石雜樹之間，分別描畫的是春、夏、秋、冬四季風光。構圖嚴謹，季節特徵鮮明，鳥獸形象生動，真實地再現了捺鉢之所的景色。

契丹貴族壁畫墓從1950年代起相繼在内蒙古昭烏達盟、哲里木盟和赤峰地區被發現。

庫倫旗奈林稿公社前勿力布格屯有座土崗，當地人稱爲王墳梁，有遼墓三十餘座，是一個契丹貴族墓群。據地望推測可能是掌管樞密、煊赫一時的國舅蕭孝忠一系的家族墓地。在現已發掘的幾座壁畫墓中，幾乎都繪有駝車鞍馬出行的行列。

寶山遼墓是曾被盜掘過的壁畫墓，1號墓存有遼太祖“天贊二年（公元923年）”題記，在目前發現的紀年遼墓中年代最早。墓室内及石房内外均繪壁畫，南壁和西壁畫吏僕侍從，東壁畫牽馬圖，北壁有宴桌和犬羊。石房外繪影作建築和侍從，石房内頂繪團花雲鶴，南壁畫侍從，北壁繪有廳堂的布置陳設，着色貼金。西壁畫高逸之士五人，并有榜題人名。西壁“降真圖”，描繪漢武帝謁見西王母的故事畫面。2號墓年代稍晚于1號墓,墓主爲女性。墓室内壁畫大多脱落,完整的壁畫保存在石房内。石房東壁畫僕傭,西壁畫大幅的牡丹圖。南壁"寄錦圖"取材于蘇若蘭織寄回文錦的愛情故事,圖中女子熠熠奪目的貼金簪釵和精細富麗的衣物襯托出華美尊貴的氣質。北壁"誦經圖"取材于楊貴妃教白鸚鵡的故事。這兩幅仕女畫均見録于唐代仕女畫家張萱和周昉的名下,在唐時粉本流傳極廣,寶山遼墓的這兩幅壁畫有可能是依照唐畫粉本繪製的。

在以遼陽爲中心的遼東京轄地,也先後發現了一些遼代壁畫墓。1976年發現的天祚帝天慶二年(公元1112年)遼北宰相蕭義墓(16號墓),是一座大型磚築多室墓,墓道兩壁壁畫各長10米,西壁繪出行,東壁畫歸來。墓門過洞兩壁繪迎送主人的備飲、備食圖,甬道東西兩壁的武士高達3米。出行圖中以雙駝高輪軖車爲中心,墓主坐于車中,車馬相接,各執事人員前呼後擁。畫中人物多契丹裝束,用具也多契丹族的特點。人物造型以墨綫勾勒爲主,綫條勁健流暢。法庫葉茂臺遼墓還出土了極有研究價值的絹畫《深山會棋圖》與《竹雀雙兔圖》。

自後晉石敬瑭會同元年(公元938年)割地之後,燕雲十六州歸入遼土,即今河北省境内長城以南、易水和白溝以北的地區以及山西省北部地區。燕雲之地發現的遼壁畫墓主要分布在遼西京的大同、南京的北京和河北宣化,絶大多數爲漢人墓。由于民族成分、文化傳統、歷史淵源和地理位置的關係,這些地方的遼墓壁畫中的衣冠服飾、起居器用、繪畫樣式風格等方面與北宋壁畫墓有較多的一致處。遼西京道境内壁畫墓發現最多的是河北張家口市宣化區下八里遼晚期張氏和韓氏墓群,重要的有張世卿墓、張文藻墓和韓師訓墓等。此墓群壁畫的題材分布,是在通道兩側(前後墓室的南壁與前室的北壁)畫執杖門吏或武士,頂部繪天象圖,影作建築構件上有花卉彩畫裝飾,墓室側壁和後室北壁這些墓室内最主要的壁面則表現日常生活。畫師將極其豐富的生活内容萃取爲若干固定的題材,普遍應用于各墓壁畫中,包括戴幞頭的男樂、男裝的女樂,備食、備茶、備酒,女侍啓箱、婦人挑燈等等。各墓在家具之外,還點綴盆花、湖石、仙鶴畫面或屏風,進一步增添了墓主家居生活的安逸情趣。M1、M2、M4的備經畫面與M3、M6置經卷的交几等陳設,應與佛教的流行和墓主的信仰有直接關係。

女真族習俗薄葬,金代的壁畫墓數量和規模遠不及遼代,而墓葬類型與宋遼壁畫墓有極密切的承繼關係。山西在金時分屬西京路、河東北路與河東南路,是金墓發現最多的省份,并以晉南最爲密集。

聞喜縣下陽村明昌二年(公元1191年)墓,墓壁彩畫影作普柏枋、闌額、斗栱等建築部件,栱眼壁裝飾牡丹。墓頂中央繪寶蓮華蓋,四面披繪化生童子。北壁在壁畫帳幔捲簾下磚砌桌椅，墓主夫婦袖手端坐椅上，身後繪男女侍童。西壁題材和技法相類。東壁在捲簾下砌門窗，板門間有一紅衫婦女啓門欲進，門上墨書提及砌匠、畫匠人名。左右兩窗之上及南壁繪孝行故事。

緊鄰晉南，同屬河東南路的豫西北也有金壁畫墓的發現。焦作市郊老萬莊1號墓，爲平面八角形磚砌單室墓。所繪均爲男女侍，分別提罐、捧茶托、執長頸瓶、抱瓶、捧爐、執皂靴和持拂塵，人物面容端正，比例勻稱，綫條方折，在金墓壁畫人物中水平最高。

在金中都大興府（今北京大興）周邊地區、冀晉相交的太行山區，以至東北到朝陽，西北至甘肅，也陸續發現有金代的壁畫墓，呈現出各地區的繪畫的特點。

上述宋金墓中流行最廣的壁畫題材是孝行故事，差不多成爲墓葬中的主題，藝術形式包括石棺綫刻畫、畫像石、磚雕和壁畫，分布的地區遍及豫西、豫北、晉南、江南以及甘肅、四川等地，已成南北社會的葬俗。按壁畫資料的顯示，以二十四孝爲圖本的孝行故事畫，在北宋宣和年間進入墓葬之中，當時還不見普及。它在金墓壁畫中廣爲流行，可能受金熙宗（公元1135–1149年在位）尊孔崇儒政策的推動，既有理學思想的影響，又與全真教宣揚節孝有密切關係。以山西、河南爲中心的衆多金墓中普遍都雕繪孝行故事圖，畫法漸趨程式化，後世流行的二十四孝條屏當與此有淵源。

迄今發現的墓葬中，可以確定爲西夏墓葬的并不多。西夏帝陵及其周邊的陪葬墓，自然成爲關注的焦點。西夏王陵8號陵據推測爲第八代皇帝神宗嵬名遵頊（公元1162–1226年）的陵墓，清理時在墓門外甬道兩側存有武士畫像。武士畫作天王形，頭上繪火焰紋，身着戰袍，叉腰佩劍，着護臂甲，臂後繪飄帶。這一發現説明西夏墓葬中同樣流行裝飾壁畫的習俗。

西夏普通漢人墓，有用木板畫作裝飾的做法。1977年在甘肅武威西郊林場發現了兩座西夏漢人火葬墓，其中天慶七年（公元1200年）西經略司都案劉德仁墓（2號墓）出土二十九塊木板畫，3號墓出土二男侍木板畫。這些木板畫原整齊地排放在墓壁，實際上起到壁畫的作用。多數木板畫描繪的是現實人物，包括男女侍、武士、童子等，也有龍、鷄、狗、猪等動物和日、月、星等天象。人物衣紋綫條起筆粗重，轉折陡直，可與敦煌西夏石窟壁畫相互參照。

六 元明清時期的墓室壁畫

元代的仿木磚雕壁畫墓繼承了宋金遺風，主要集中在山西和内蒙古地區。元代壁畫墓按其地域明顯可見漢人墓和蒙古貴族墓的分別，漢人墓一方面沿用了宋、金壁畫墓開芳宴的生活題材，更突出了墓主宴享表演情節，增加金銀錢帛、斗庫牛羊等象徵財富的畫面。另一方面山水、花鳥等文人畫題材被引入墓室之中，并以水墨畫的技法作畫，呈現出簡淡野逸的審美品格。蒙古貴族墓一方面吸收漢地壁畫的題材內容，同時又描繪騎從狩獵等塞外風俗民情，兼有宗教信仰的內容。

元墓壁畫在沿襲宋金傳統的同時而有了變化，孝行故事壁畫的減少和重宴享財富的表現是其變化之一。太原西南郊瓦窰村元延祐七年（公元1320年）墓，在墓室東南壁繪庫房，畫有管庫人和標有"庫房"、"□斛庫"、"什物庫"、"金銀財帛家產錢物庫"榜題的畫面。運城西里莊元晚期墓是長方形單室磚券墓，西壁繪雜劇表演，左側第一人雙手持戲摺展開于胸前，有副末開場之意。戲摺上楷書"風雪奇"三字，當爲劇名。其中有女演員扮演旦角，反映了元雜劇的演員構成和演出體制。與西壁演出場面相呼應的是東壁的樂隊和舞兒，當是表演時的伴奏樂隊。南壁在墓門兩側繪童子，北壁爲宴享圖，幔下設桌，桌上陳列果品。山西元墓中還常見用散樂雜劇磚雕作爲裝飾，與壁畫雜劇表演畫面具有相同的用意，真實地反映了元雜劇在山西民間的流行程度。

元代文人畫的興起影響到社會審美風尚的變化，以水墨渲染爲基本面貌的花鳥山水畫被引入墓室中，成了元墓壁畫中最具有時代特點的表現形式。民間畫工以模仿日常家居常見的屏風、立軸、條屏作畫，題材和表現手法也追慕名家典範。

山西大同西郊宋家莊至元二年（公元1265年）馮道真墓水墨山水大幀《疏林晚照圖》是最受學術界關注的壁畫作品。馮道真是龍翔大同萬壽宮宗主，係全真教道官，墓中壁畫意在頌揚墓主山林隱逸的生活。東壁《觀魚圖》畫墓主人臨流獨坐，凝神觀魚，有莊子濠梁觀魚之喻。西壁《論道圖》畫墓主人與賓客論道。北壁通壁水墨山水，高91、長270厘米，畫題"疏林晚照"。畫中大山蜿蜒陡起，氣象氤氳，前景有平遠疏林，遠景有烟波帆影。景象開闊，空間層次豐富。所畫山水據認爲近于墓主的故鄉——大同玉龍洞七峰山。元代山水畫名迹雖多，但真贋相亂，這幅山水畫不僅年代清楚，而且水平很高，真實地體現了時代特徵，曾被美術史家引爲討論元代山水畫鑒定學的依據。

南方地區元代壁畫墓發現不多，公布的資料僅限于福建將樂縣光明鄉元墓和重慶市最新發現的一處元墓。

元代蒙古貴族壁畫墓在內蒙古地區發現多座，遼寧凌源、甘肅漳縣、陝西蒲城以及北京也有出土的資料。這些"衹識彎弓射大雕"的馬背驕子，他們的形象風采和生活習俗在壁畫中得以真實地再現，從中也能夠清晰地看到草原民族與漢民族文化交匯融合的進程。

內蒙古赤峰地區發現的壁畫墓相對集中。赤峰市元寶山區沙子山1號墓墓主應爲蒙古貴族，任六品官員。墓室北壁繪紫色帷帳下男女主人正面對坐像，旁邊侍者恭立。東西兩壁畫侍奉童子。人物綫條粗重有力，蒙古民族的形象衣着特徵十分寫實。涼城縣崞縣窑鄉後德勝村元墓（1號墓）壁畫題材包括墓主人家居圖、牡丹富貴圖和二十四孝圖等，内容與宋、金中原墓葬壁畫接近。

陝西蒲城縣東陽鄉洞耳村元墓，壁畫保存良好，色澤鮮艷如新。墓道西壁繪牧牛和卧駝場面，東壁爲停輿圖。墓室西壁和西南壁繪行別獻酒，東壁和東南壁繪醉歸樂舞；西北、北、東北三壁表現蒙古族服飾的男女主人堂中對坐之景，身後置山水座屏，兩側的條桌上放置各種起居用物。穹隆頂上描繪幔帳、梁枋彩畫、嬰戲蓮二方連續圖案、火焰珠和如意雲頭等圖案。據屏風上方墨書墓主名諱及下葬年題記，知墓主夫婦男名張按答不花，蒙古人，妻爲漢人，名李雲綫，卒葬于元至元六年（公元1269年）。壁畫中所見各種元代蒙古時期的髮冠、服飾、器皿、用具描繪得準確、具體，爲研究蒙古時期的物質文化和社會習俗提供了準確的形象資料。

明清兩代由于葬俗葬制的演變，社會風氣的移易，壁畫墓的數量急劇減少，壁畫的藝術水平也大不如前。迄今所發現的明清壁畫墓主要在北方地區，壁畫中常見家居宴飲和出行等生活題材。比較特殊的是河南滎陽明代温穆王朱朝坨（公元1552–1607年）墓的壁畫，墓内繪製了一套完整的佛教法事壁畫，反映了佛畫在明代葬俗中的實際運用。能够看出時代新變化的是摹仿流行的四條屏花鳥和詩軸所作的墓室裝飾，北京門頭溝馬懷印夫婦墓壁畫梅、菊、荷、牡丹四條屏，陝西大荔李氏家族墓中的石刻條屏和詩軸畫像，均是民間工匠仿效時尚的作品。南方僅見浙江嘉善縣陶家池明壁畫墓，題材有墓主遇仙人、老者觀瀑等高逸神仙題材，背景襯以水墨松石，可與明代山水人物題材的卷軸畫相比照。

明清壁畫墓考古發現的數量較少，壁畫的題材内容和表現手段雖然對前代有所繼承，社會生活和時代風尚在壁畫中也得到相應地反映，但畫手主要是地方民間工匠，壁畫圖像和表現手法偏離時代藝術的主流，題材内容的民俗化和藝術表現的民間化傾向明顯。它將中國古代壁畫墓的演變綫索引向了民間形態，"藝術在民間"則作了墓室壁畫的謝幕辭。

羅世平

目　　録

西漢至三國（公元前二〇六年至公元二六五年）

兩晋南北朝（公元二六五年至公元五八九年）

頁碼	名稱	時代	出土發現地	收藏地
122	獸面圖	西晉	甘肅敦煌市佛爺廟灣第37號墓	甘肅省文物考古研究所
122	托山力士圖	西晉	甘肅敦煌市佛爺廟灣第37號墓	甘肅省文物考古研究所
123	李廣射虎圖	西晉	甘肅敦煌市佛爺廟灣第37號墓	甘肅省文物考古研究所
123	野牛圖	西晉	甘肅敦煌市佛爺廟灣第37號墓	甘肅省文物考古研究所
124	伯牙和子期圖	西晉	甘肅敦煌市佛爺廟灣第37號墓	甘肅省文物考古研究所
125	進食圖	西晉	甘肅敦煌市佛爺廟灣第37號墓	甘肅省文物考古研究所
125	牛車圖	西晉	甘肅敦煌市佛爺廟灣第37號墓	甘肅省文物考古研究所
126	驗糧圖	西晉	甘肅敦煌市佛爺廟灣第37號墓	甘肅省文物考古研究所
126	閣樓式倉廩圖	西晉	甘肅敦煌市佛爺廟灣第37號墓	甘肅省文物考古研究所
127	臥羊圖	西晉	甘肅敦煌市佛爺廟灣第39號墓	甘肅省文物考古研究所
127	母童嬉戲圖	西晉	甘肅敦煌市佛爺廟灣第39號墓	甘肅省文物考古研究所
128	撮糧圖	西晉	甘肅敦煌市佛爺廟灣第39號墓	甘肅省文物考古研究所
128	雙雞圖	西晉	甘肅敦煌市佛爺廟灣第39號墓	甘肅省文物考古研究所
129	藻井蓮花紋圖	西晉	甘肅敦煌市佛爺廟灣第39號墓	甘肅省文物考古研究所
129	白虎圖	西晉	甘肅敦煌市佛爺廟灣第91號墓	甘肅省文物考古研究所
130	奔羊圖	西晉	甘肅敦煌市佛爺廟灣第91號墓	甘肅省文物考古研究所
130	九尾狐圖	西晉	甘肅敦煌市佛爺廟灣第91號墓	甘肅省文物考古研究所
131	飛鳥朝鳳圖	西晉	甘肅敦煌市佛爺廟灣第91號墓	甘肅省文物考古研究所
131	人面龍身怪獸圖	西晉	甘肅敦煌市佛爺廟灣第91號墓	甘肅省文物考古研究所
132	少女搏虎圖	西晉	甘肅敦煌市佛爺廟灣第91號墓	甘肅省文物考古研究所
132	蓮花藻井圖	西晉	甘肅敦煌市佛爺廟灣第133號墓	甘肅省文物考古研究所
133	闕門	西晉	甘肅敦煌市佛爺廟灣第133號墓	甘肅省文物考古研究所
133	辟邪圖	西晉	甘肅敦煌市佛爺廟灣第133號墓	甘肅省文物考古研究所
134	受福圖	西晉	甘肅敦煌市佛爺廟灣第133號墓	甘肅省文物考古研究所
134	帶翼神馬圖	西晉	甘肅敦煌市佛爺廟灣第133號墓	甘肅省文物考古研究所
135	持帚門吏圖	西晉	甘肅敦煌市佛爺廟灣第133號墓	甘肅省文物考古研究所
135	持勺女僕圖	西晉	甘肅敦煌市佛爺廟灣第133號墓	甘肅省文物考古研究所
136	赤鳥圖	西晉	甘肅敦煌市佛爺廟灣第167號墓	甘肅省文物考古研究所
136	猞猁圖	西晉	甘肅敦煌市佛爺廟灣第167號墓	甘肅省文物考古研究所
137	伯牙撫琴圖	西晉	甘肅敦煌市佛爺廟灣第167號墓	甘肅省文物考古研究所
137	鳳鳥圖	西晉	甘肅敦煌市佛爺廟灣第167號墓	甘肅省文物考古研究所
138	獵兔圖	西晉	甘肅嘉峪關市新城1號墓	
138	放牧圖	西晉	甘肅嘉峪關市新城1號墓	
139	二女庖廚圖	西晉	甘肅嘉峪關市新城1號墓	

頁碼	名稱	時代	出土發現地	收藏地
139	進食圖	西晉	甘肅嘉峪關市新城1號墓	
140	宴飲圖	西晉	甘肅嘉峪關市新城1號墓	
140	聽琴圖	西晉	甘肅嘉峪關市新城1號墓	
141	聽樂圖	西晉	甘肅嘉峪關市新城1號墓	
141	井飲圖	西晉	甘肅嘉峪關市新城1號墓	
142	狩獵圖	西晉	甘肅嘉峪關市新城1號墓	
142	"塢"圖	西晉	甘肅嘉峪關市新城1號墓	
143	莊園生活圖	西晉	甘肅嘉峪關市新城3號墓	
143	出行圖	西晉	甘肅嘉峪關市新城3號墓	
144	屯營圖	西晉	甘肅嘉峪關市新城3號墓	
144	屯墾圖	西晉	甘肅嘉峪關市新城3號墓	
145	狩獵圖	西晉	甘肅嘉峪關市新城3號墓	
145	耕種圖	西晉	甘肅嘉峪關市新城3號墓	
146	庖厨圖	西晉	甘肅嘉峪關市新城3號墓	
146	奏樂圖	西晉	甘肅嘉峪關市新城3號墓	
147	獻食圖	西晉	甘肅嘉峪關市新城4號墓	
147	縱鷹獵兔圖	西晉	甘肅嘉峪關市新城4號墓	
148	播種圖	西晉	甘肅嘉峪關市新城4號墓	
148	牽羊圖	西晉	甘肅嘉峪關市新城4號墓	
149	出行圖	西晉	甘肅嘉峪關市新城5號墓	
149	牧馬圖	西晉	甘肅嘉峪關市新城5號墓	
150	出行及其它	西晉	甘肅嘉峪關市新城5號墓	
150	燙禽圖	西晉	甘肅嘉峪關市新城5號墓	
151	牽駝圖	西晉	甘肅嘉峪關市新城6號墓	
151	侍女圖	西晉	甘肅嘉峪關市新城6號墓	
152	提水女圖	西晉	甘肅嘉峪關市新城6號墓	
152	采桑圖	西晉	甘肅嘉峪關市新城6號墓	
153	采桑圖	西晉	甘肅嘉峪關市新城6號墓	
153	放鷹圖	西晉	甘肅嘉峪關市新城6號墓	
154	宰牛圖	西晉	甘肅嘉峪關市新城6號墓	
154	宰豬圖	西晉	甘肅嘉峪關市新城6號墓	
155	殺牲圖	西晉	甘肅嘉峪關市新城6號墓	
155	牽羊圖	西晉	甘肅嘉峪關市新城6號墓	
156	庖厨圖	西晉	甘肅嘉峪關市新城6號墓	

頁碼	名稱	時代	出土發現地	收藏地
156	耙地圖	西晉	甘肅嘉峪關市新城6號墓	
157	切肉圖	西晉	甘肅嘉峪關市新城6號墓	
157	宴飲圖	西晉	甘肅嘉峪關市新城6號墓	
158	宴飲圖	西晉	甘肅嘉峪關市新城6號墓	
158	備車圖	西晉	甘肅嘉峪關市新城6號墓	
159	出行圖	西晉	甘肅嘉峪關市新城6號墓	
159	奏樂圖	西晉	甘肅嘉峪關市新城6號墓	
160	切肉庖厨圖	西晉	甘肅嘉峪關市新城6號墓	
160	獵羊圖	西晉	甘肅嘉峪關市新城7號墓	
161	宴飲圖	西晉	甘肅嘉峪關市新城7號墓	
161	出行圖	西晉	甘肅嘉峪關市新城7號墓	
162	出行圖	西晉	甘肅嘉峪關市新城7號墓	
162	獻食圖	西晉	甘肅嘉峪關市新城7號墓	
163	殺鷄圖	西晉	甘肅嘉峪關市新城7號墓	
163	庖厨圖	西晉	甘肅嘉峪關市新城7號墓	
164	婦人童子圖	西晉	甘肅嘉峪關市新城12號墓	
164	耕地圖	西晉	甘肅嘉峪關市新城12號墓	
165	牛車圖	西晉	甘肅嘉峪關市新城12號墓	
165	牧馬圖	西晉	甘肅嘉峪關市新城13號墓	
166	馬群圖	西晉	甘肅嘉峪關市新城13號墓	
166	羊群圖	西晉	甘肅嘉峪關市新城13號墓	
167	鷄群圖	西晉	甘肅嘉峪關市新城13號墓	
167	宰猪圖	西晉	甘肅嘉峪關市新城13號墓	
168	獨角獸圖	西晉	甘肅嘉峪關市新城13號墓	
168	人物圖	十六國・前秦	甘肅高臺縣新壩鄉許三灣村	甘肅省高臺縣博物館
169	丁家閘十六國墓前室西壁壁畫	十六國・北涼	甘肅酒泉市果園鄉丁家閘5號墓	
170	西王母圖	十六國・北涼	甘肅酒泉市果園鄉丁家閘5號墓	
171	燕居與出游圖	十六國・北涼	甘肅酒泉市果園鄉丁家閘5號墓	
172	樂舞伎與雜技圖	十六國・北涼	甘肅酒泉市果園鄉丁家閘5號墓	
174	羽人逐鹿 湯王縱鳥圖	十六國・北涼	甘肅酒泉市果園鄉丁家閘5號墓	
174	羽人圖	十六國・北涼	甘肅酒泉市果園鄉丁家閘5號墓	
175	白鹿圖	十六國・北涼	甘肅酒泉市果園鄉丁家閘5號墓	
175	湯王縱鳥圖	十六國・北涼	甘肅酒泉市果園鄉丁家閘5號墓	
176	生命樹圖	十六國・北涼	甘肅酒泉市果園鄉丁家閘5號墓	

青龍與諸靈圖

西漢

出于河南永城市芒碭山柿園漢墓前室頂部西側。

高350、寬550厘米。

此墓爲西漢梁王的墓葬。畫面以飛騰于雲間的青龍爲主體，青龍身下有白虎，身上有朱雀，身前有一魚尾神獸。

現藏河南博物院。

龍虎猛神圖

西漢

出于河南洛陽市燒溝卜千秋墓後山墻。

卜千秋爲西漢中期郡級官吏，其墓由墓道、主室和左右
耳室組成。

畫面上方爲猛神，其下有青龍和白虎。

猛神圖

西漢

出于河南洛陽市燒溝卜千秋墓後山牆。

爲"龍虎猛神圖"之局部。圖中猛神獸首人身，身體粗壯有力。

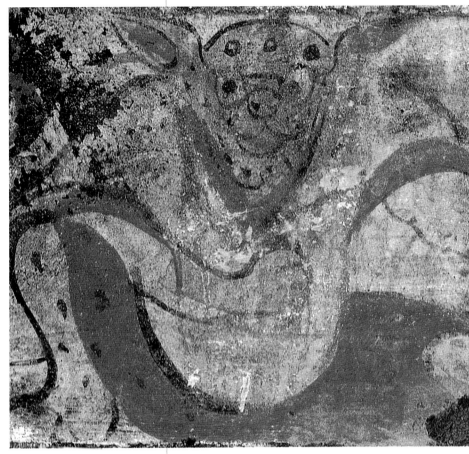

白虎圖

西漢

出于河南洛陽市燒溝卜千秋墓後山牆。

爲"龍虎猛神圖"之局部。圖中白虎張口吐舌，作行走狀。

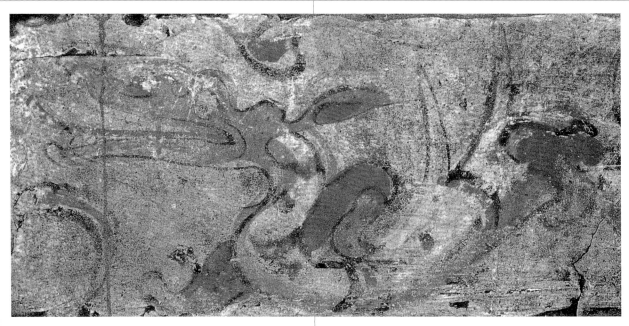

青龍圖

西漢

出于河南洛陽市燒溝卜千秋墓後山墻。

爲"龍虎猛神圖"之局部。圖中龍首前伸，龍體較短。

仙人王子喬圖

西漢

出于河南洛陽市燒溝卜千秋墓墓門內上額。

此人面鳥身形象，有人考證爲仙人王子喬，也有人認爲是瘟厲保護神。

女媧圖

西漢

出于河南洛陽市燒溝卜千秋墓頂脊。

頂脊壁畫由十三塊磚組成，從前至後依次繪
女媧、月宮、持節方士、二青龍、二梟羊、朱
雀、白虎、仙女、奔兔、獵犬、蟾蜍、卜千秋
夫婦、伏羲、太陽和黃蛇等，隊伍雄大而壯
觀。整個畫面高31、寬451厘米。圖中女媧頭
挽垂髾髻，着交衽袍，袖手。

月宮圖

西漢

出于河南洛陽市燒溝卜千秋墓頂脊。

圖中月亮裹繪桂樹和蟾蜍，表現月宮景象。

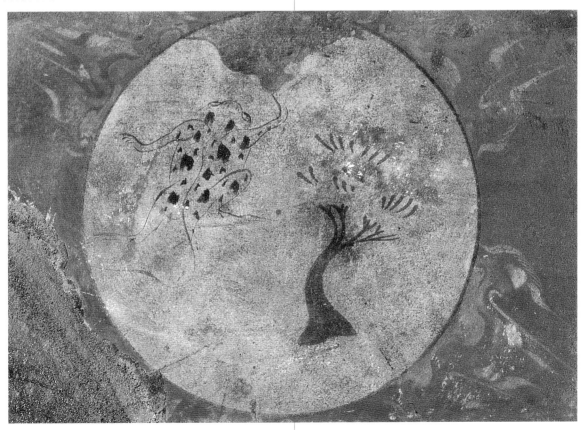

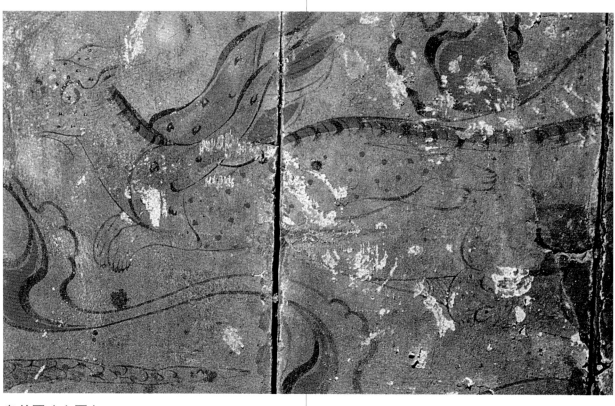

梟羊圖（上圖）

西漢

出于河南洛陽市燒溝卜千秋墓頂脊。

圖中繪兩隻梟羊，梟羊有角和翼，作奔跑飛騰狀。

朱雀圖

西漢

出于河南洛陽市燒溝卜千秋墓頂脊。

圖中朱雀作行走狀，長尾羽，展翅。

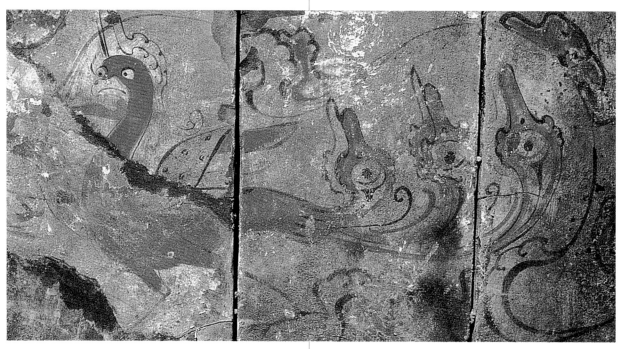

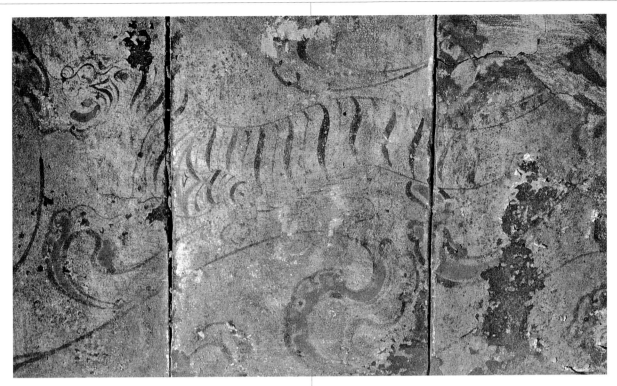

白虎圖（上圖）

西漢

出于河南洛陽市燒溝卜千秋墓頂脊。

圖中虎作奔走狀，張口，身旁有雲紋。

伏羲　太陽圖

西漢

出于河南洛陽市燒溝卜千秋墓頂脊。

圖中伏羲人首蛇身，拱手而立，其側太陽中飛金烏。

西漢至三國（公元前二〇六年至公元二六五年）

卜千秋夫婦升仙圖
西漢
出于河南洛陽市燒溝卜千秋墓頂脊。
圖中男女爲卜千秋夫婦，男乘龍蛇，女乘三頭鳳，行進在升仙隊伍中。畫面左側爲口銜仙草的奔兔。

伏羲　太陽　白虎圖
西漢
出于河南洛陽市淺井頭西漢墓頂脊。
圖中伏羲人首蛇身。太陽外緣三角紋和圓點紋象徵光芒，內繪金烏。

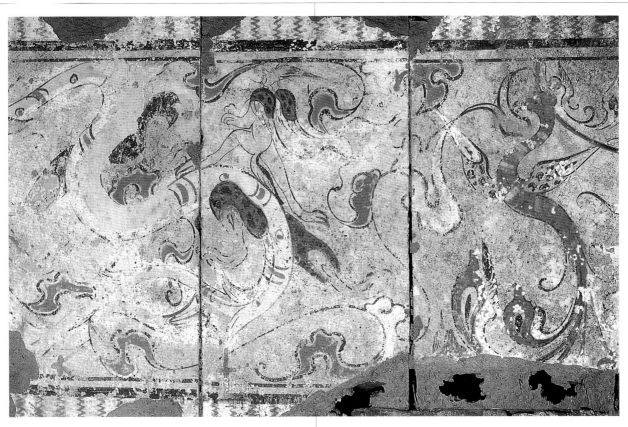

西漢至三國（公元前二○六年至公元二六五年）

羽人　朱雀圖
西漢
出于河南洛陽市淺井頭西漢墓頂脊。
圖中羽人作御龍狀。朱雀長尾展翅，作騰飛狀。

神人　月亮　女媧圖
西漢
出丁河南洛陽市淺井頭西漢墓頂脊。
圖中神人人首龍軀，月宮中繪蟾蜍和奔兔，女媧人首蛇身。

西漢至三國（公元前二〇六年至公元二六五年）

月宮　女媧圖

西漢

出于河南洛陽市淺井頭西漢墓頂脊。

爲"神人　月亮　女媧圖"之局部。女媧人首蛇身，袖
手，周圍飾雲氣；月宮中繪蟾蜍和奔兔。

神人圖

西漢

出于河南洛陽市淺井頭西漢墓頂脊。爲"神人 月亮 女媧圖"之局部。神人爲人首龍軀。

雙龍穿璧圖

西漢

出于河南洛陽市淺井頭西漢墓頂脊。圖中繪一條狀如長蛇的紅龍穿璧而過，上部爲一隻跳躍狀蟾蜍。

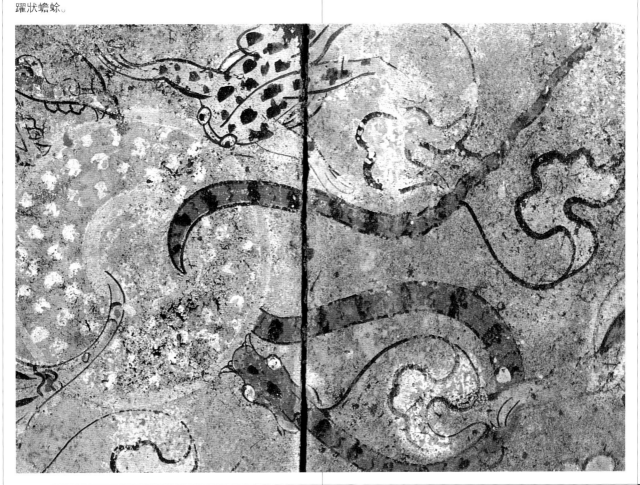

雲氣圖

西漢

出于河南洛陽市淺井頭西漢墓墓室頂部斜坡。

圖中雲氣以墨綫勾勒，内塗白、赭色。

虎食女魃圖

西漢

出于河南洛陽市燒溝61號墓墓門上額。

此墓由墓道、墓門、耳室、前室和後室組成。

圖中裸女是女魃，爲傳說中的旱魔。圖中突出的羊頭與
虎食女魃相配，表達墓主祈求逢凶化吉的願望。

西漢至三國（公元前二〇六年至公元二六五年）

鴻門宴圖

西漢

出于河南洛陽市燒溝61號墓後室後山墙。

畫面呈梯形。全幅高23、上寬132、下寬178厘米。

此圖一説認爲是鴻門宴故事畫，手持角杯者爲項羽，其右爲劉邦，畫面最左邊三人依次爲項莊、范增和張良，怪物爲鴻門上所畫之虎。另一説認爲是漢代儺戲中方相氏打鬼前行饗，怪物即爲方相氏。圖上用白粉寫三個"恐"字。

執戟持劍者圖

西漢

出于河南洛陽市燒溝61號墓後室後山墙。

此圖爲"鴻門宴圖"的左段局部。

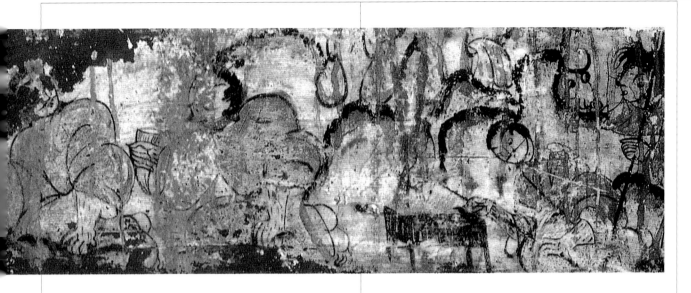

燒烤者圖
西漢
出于河南洛陽市燒溝61號墓後室後山墻。
此圖爲"鴻門宴圖"的右段局部。跪伏烤肉者背後懸四個鐵鈎，上挂大塊紅肉，其下有一牛頭，推知鈎挂和燒烤的是牛肉。

隔梁與橫梁壁畫圖

西漢

出于河南洛陽市燒溝61號墓前、後室間前室側。

隔梁雕繪梯形儺戲舞蹈圖；橫梁繪十三身人物。

二桃殺三士圖

西漢

出于河南洛陽市燒溝61號墓前、後室間橫額。

高25厘米。

圖中案左一人爲齊景公和晏子派出的送桃使節，案右三人爲争功相鬥的三位勇士，最右者爲古冶子，中爲公孫接，左爲田開疆。

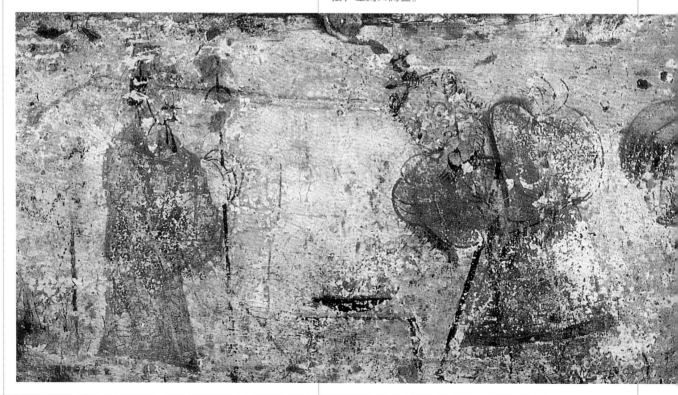

天禄及二熊争璧圖（上圖）

西漢

出于河南洛陽市燒溝61號墓前、後室間隔梁。

圖中二熊一前一後推拉着懸挂的玉璧，其下一奔鹿，右下爲一人物。

猛神四靈圖

西漢

出于河南洛陽市燒溝61號墓前、後室間隔梁。

圖中央猛神獸面，着黃衣，束紅裙。其上一人，戴冠，束紅裙，弓步。猛神周圍左有青龍，右有白虎，上有朱雀，下有玄武。

鼓掌老者圖
西漢

出于河南洛陽市燒溝61號墓。

高25厘米。

圖中老者鬚髮斑白，面向左側鼓掌大笑。

持棨戟者圖
西漢

出于河南洛陽市燒溝61號墓。

高25厘米。

圖中二人一穿紫色長衣，一穿黃色長衣，均手持棨戟。

迎賓拜謁圖

西漢

出于河南洛陽市八里臺西漢墓前山墙橫梁。

高19厘米。

壁畫內容有人認爲是貴族生活圖，也有人釋作
祭神禮儀迎賓拜謁。

現藏美國波士頓美術館。

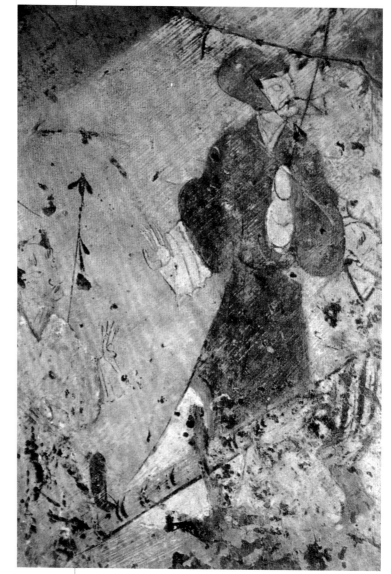

格鬥圖

西漢

出于河南洛陽市八里臺西漢墓前山墙左斜坡。

圖中右側一人物頭戴武弁大冠，左側一人頭挽
"丫"形髻，二人均于手持戈，神色凝重。

現藏美國波士頓美術館。

遞斧圖
西漢
出于河南洛陽市八里臺西漢墓前山墻右斜坡。
高73.8厘米。

圖中左側一人頭戴武弁大冠，着曲裙袍和大口褲，左手欲接遞來之斧。右側之人頭挽"丫"形髻，穿曲裙短袍，左手執戈，右手持斧遞與前人。
現藏美國波士頓美術館。

女媧月象圖
西漢

出于河南新安縣磁澗鎮里河村漢墓頂脊。

畫面由九塊磚組成。左側兩隻鳳鳥頭頂華冠，身披青、紅色羽翼，有長尾，一隻回首張望，另一隻口銜紅色寶珠，作展翅追隨狀。女媧上身女相，肩生羽翼，下身爲赤色蛇尾，托一輪青色圓月。右側兩隻龍，赤龍赤背，青腹，紫色四肢；黃龍黃背，青腹，紅色四肢。

白虎圖
西漢

出于河南新安縣磁澗鎮里河村漢墓頂脊。

圖中白虎昂首長嘯，露白齒紅舌，虎鬚飄動。虎身繪黑白相間條紋，長尾上捲，作行進狀。

人首龍身神怪圖

西漢

出于河南新安縣磁澗鎮里河村漢墓頂脊。

圖中神怪人首，女相，自頸以下作龍身，并覆青鱗。神
怪左側繪青色璧，上側空白處繪黃色流雲。

東方蒼龍圖

西漢

出于陝西西安市西安交通大學附屬小學漢墓主室頂部

東側。

兩大圓圈間繪東方蒼龍，龍角、龍尾、龍爪下都繪有星宿，代表東方七宿。圖中太陽東南還繪有一隻綠鳳凰。

仙靈升天圖（上圖）

西漢

出于陝西西安市西安交通大學附屬小學漢墓主室後部
上部。

圖中左右兩邊各繪一組流雲，流雲間繪仙鶴。中部一
雙角神獸，身體殘，右前爪舉仙草，應是引導死者的
靈魂升天。

天象圖

西漢

出于陝西西安市西安交通大學附屬小學漢墓主室頂部
西側。

圖中繪太陽和月亮。太陽爲朱紅色，內繪黑色金烏；
月亮內繪蟾蜍和弁兔。太陽和月亮周圍繪流雲，雲間
飾仙鶴。

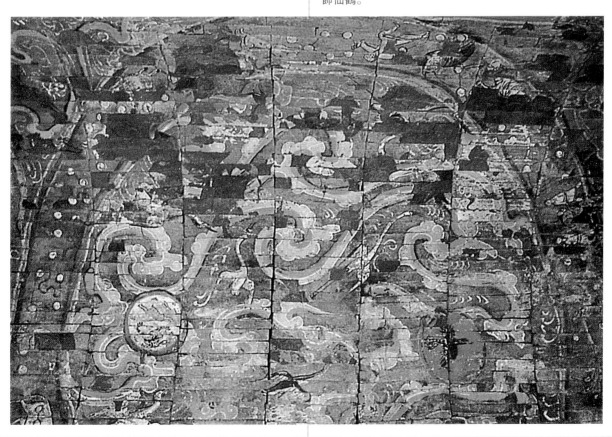

西漢至三國（公元前二〇六年至公元二六五年）

狩獵人物圖

西漢

出于陝西西安市西安理工大學西漢壁畫墓墓室東壁。圖中人物揚鞭策馬，二人似正在交談。

西漢至三國（公元前二〇六年至公元二六五年）

狩獵人物圖（上圖）
西漢

出于陝西西安市西安理工大學西漢壁畫墓墓室東壁。
圖中人物手持弓箭， 回首張望。

宴樂圖
西漢

出于陝西西安市西安理工大學西漢壁畫墓墓室西壁。
圖中後部女主人和賓客并排跽坐于圍屏之前的木榻上欣
賞樂舞，前方兩側各有一組女性，席地而坐，面前有
案。中間一舞者，雙手執紅飄帶起舞。

仙鶴圖（上圖）

西漢

出于陝西西安市西安理工大學西漢壁畫墓墓室西壁上部。
仙鶴展翅而飛，身旁布滿雲氣紋。

羽人圖

西漢

出于陝西西安市西安理工大學西漢壁畫墓墓室北壁上部。
圖中羽人人首，大耳，肩生翼，羽尾，乘于龍身之上。

舞蹈圖
西漢
出于甘肅武威市涼州區韓佐鄉紅花村五壩山7
號墓墓室西壁左側。
高100、寬80厘米。
圖中舞者戴面具，身穿短裙，腰束帶，赤足。

托柱虎圖
西漢
出于甘肅武威市涼州區韓佐鄉紅花村五壩山7
號墓墓室南壁。
圖中繪一虎，虎背上托一柱，柱上段殘，從柱
上殘存花紋看，柱上端可能栖有長尾神鳥。

二龍銜璧圖

新

出于河南洛陽市金谷園村壁畫墓後室頂脊。

此圖與日、月及御蛇土伯相鄰，當屬崇天之神。洛陽博物館稱爲“太一陰陽圖”。二龍穿璧或銜璧圖爲漢畫最常見題材之一。

日象圖（上圖）

新

出于河南洛陽市金谷園村壁畫墓後室頂脊。

圖中外層繪紅雲，中層塗藍天，内層繪紅日，紅日中繪
黑色金烏。

飛廉圖

新

出于河南洛陽市金谷園村壁畫墓後室西壁柱頭斗子之間。

圖中繪一獸，頭似虎，有翼，身有似豹的斑點。應爲風神
飛廉。

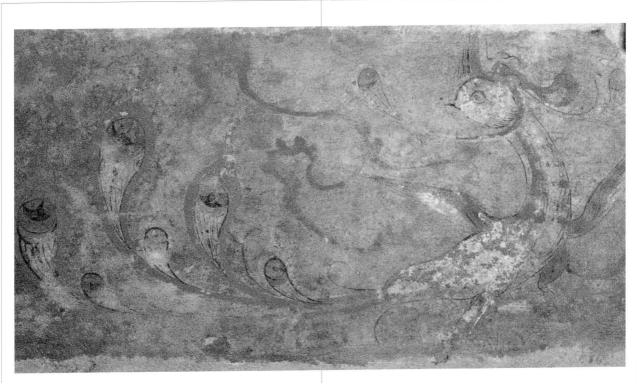

鳳鳥圖

新

出于河南洛陽市金谷園村壁畫墓後室東壁柱頭斗子之間。
圖中鳳鳥長尾，引頸回首。

東方句芒圖

新

出于河南洛陽市金谷園村壁畫墓後室東壁柱頭斗子之間。
圖中形象人面鳥身，爲《山海經·海外東經》所説東方
句芒，它是帝太皞的佐神，司春。

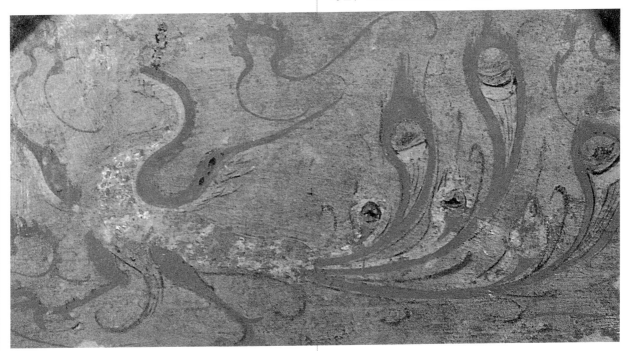

西方蓐收圖

新

出于河南洛陽市金谷園村壁畫墓後室東壁柱頭斗子之間。
圖中形象人面虎身，有雙翼，爲《山海經》郭璞注所説
西方蓐收，它是帝少皞的佐神，司秋。

南方祝融圖

新

出于河南洛陽市金谷園村壁畫墓後室北壁柱頭斗子之間。
《山海經·海外南經》云：“南方祝融，獸身人面。”
郭璞注：“火神也。”圖中神人腹部點朱，意味着火
行。它輔佐炎帝，司夏。

獸面 常儀 羲和圖

新

出于河南偃師市辛村壁畫墓前室勾欄門上額。

圖中央爲獸面，雙目圓瞪，盆口利齒，頸後鬃毛如翼。
其左繪常儀托月，常儀上身人體，下身蛇軀，月中有桂
樹；其右繪羲和擎日，羲和上身人體，下身蛇軀，日中
繪金烏。

獸面 常儀 羲和圖局部之一

獸面 常儀 羲和圖局部之二

庖厨圖

新

出于河南偃師市辛村壁畫墓中室西壁南部。

高44、寬40厘米。

圖中三男一女，切菜、備菜和上菜，各司其職，井然
有序。

六博宴飲圖

新

出于河南偃師市辛村壁畫墓中室西壁北部。

畫面上部爲宴飲場面：左邊兩人中的老者爲男墓主，其
景爲醉後嘔吐，右邊兩人對飲。下部爲博弈場面。

西漢至三國（公元前二○六年至公元二六五年）

女賓宴飲圖

新

出于河南偃師市辛村壁畫墓中室東壁北部。

畫面上部爲兩組對飲場面。右下方繪一侍女向一嫗遞上
耳杯，此嫗應爲女墓主。左下方爲女主人醉後扶歸。

宴飲樂舞圖

新

出于河南偃師市辛村壁畫墓中室東壁南部。

畫面上部殘損，殘留對飲人物；中部爲男女對舞，舞者
身後各有三身奏樂的樂者；下部中間置一酒瓮，左側一
侍女捧耳杯侍奉男主人，右側一人物右臂上揚。

西漢至三國（公元前二○六年至公元二六五年）

鳳鳥圖

新

出于河南偃師市辛村壁畫墓中、後室間橫額。

圖中鳳鳥回首，口銜寶珠。此畫面爲兩圖，左右對稱。

鳳鳥圖之一

鳳鳥圖之二

西王母圖

新

出于河南偃師市辛村壁畫墓中、後室之間的橫額上。

圖中西王母戴勝，右爲搗藥玉兔，下爲蟾蜍、九尾狐，皆爲西王母近前寵物。

常儀擎月圖

東漢

出于河南洛陽市道北石油站東漢墓中室穹隆頂西部。
圖中常儀蛇軀獸肢，月中繪一赤色蟾蜍。

羲和擎日圖

東漢

出于河南洛陽市道北石油站東漢墓中室穹隆頂東部。

圖中羲和烏髮微亂，蛇軀獸肢。日中繪金烏。

乘車駕鹿圖

東漢

出土河南洛陽市道北石油站東漢墓中室穹隆頂北部。

圖中右側一男子坐于長方輿内，輿無輪，上部有四叉紅色傘蓋。車前兩隻鹿形獸拉車疾馳。車下有雲氣。

升仙圖

東漢

出于遼寧大連市金州區營城子前牧城驛漢墓主室北壁。
高243、寬310厘米。
圖下層三人或直跪或叩頭或揖手，當是恭送墓主升仙的
親屬故吏；上層繪墓主與迎接他的天上使者、羽人相見
的情景。

門衛圖

東漢

出于遼寧大連市金州區營城子前牧城驛漢墓主室南壁。

各高105、寬50厘米。

居右者較嚴肅，居左者濃眉大眼，鬚髮皆乍。

門衛之一

門衛之二

內蒙古鄂托克旗
鳳凰山１號墓墓室後壁門洞壁畫示意圖

門吏圖

東漢

出于內蒙古鄂托克旗鳳凰山1號墓墓室後壁門洞左側。
圖中二門吏頭戴寬沿圓頂帽，帽側插羽翎，前者左臂搭
藍色袍，後者懷抱金吾。

門吏與犬圖

東漢

出于內蒙古鄂托克旗鳳凰山1號墓墓室後壁門洞右側。
圖中門吏頭戴捲沿圓頂帽，懷抱金吾，身後蹲立一犬。

内蒙古鄂托克旗
鳳凰山1號墓墓室東壁壁畫示意圖

獨角獸圖

東漢
出于内蒙古鄂托克旗鳳凰山1號墓墓室東壁下部。
圖中獨角獸肌肉發達，回首瞪目，三尾揚起，剛猛之
勢畢現。

戟鏚圖（上圖）

東漢

出于内蒙古鄂托克旗鳳凰山1號墓墓室東壁左側。
戟鏚為漢代長兵器。圖中戟鏚左側懸挂一面鼓，右側繪
一盾牌。

弓弩　箭匣圖

東漢

出于内蒙古鄂托克旗鳳凰山1號墓墓室東壁中部。
圖中箭匣上搭白絹兩塊，正中立一弓弩，兩側各斜插三
枝箭。

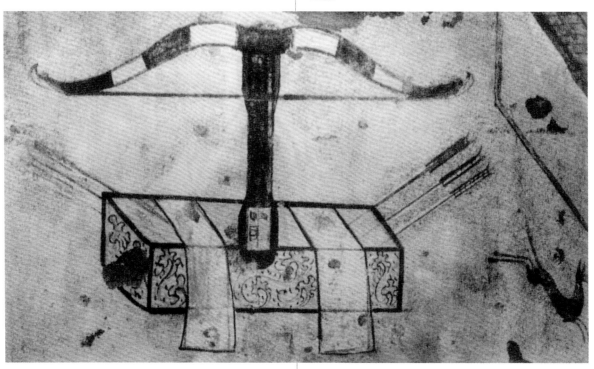

宴飲圖
東漢

出于內蒙古鄂托克旗鳳凰山1號墓墓室東壁右側。
此圖描繪的活動發生在一個方形庭院中，屋內兩人
對坐暢談，院中三人，一人彈琴，另二人各手執一
棍，欲擊打面前的輪盤物。

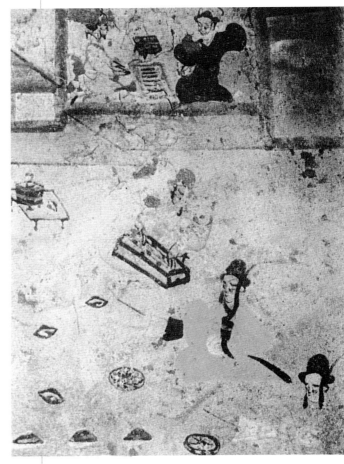

雜耍圖
東漢

出于內蒙古鄂托克旗鳳凰山1號墓墓室東壁右側。
此圖位于"宴飲圖"的左側，繪三個雜耍人物，中
間一人倒立于博山爐頂，左側人物伸臂作保護狀，
右側男子表演釜沿舞。

牛車圖（上圖）

東漢

出于內蒙古鄂托克旗鳳凰山1號墓墓室東壁右側下部。
圖中牛車所載人物似爲應邀前來赴宴的賓客。

露臺觀射圖

東漢

出于內蒙古鄂托克旗鳳凰山1號墓墓室西壁中部。
露臺上三女子正作舞蹈狀，動作輕盈優美；三男子中兩
人搭弓射鳥，另一人正拉弓裝箭。左下側繪車馬，右側
繪山間放牧場面。

內蒙古鄂托克旗
鳳凰山 1 號墓墓室西壁壁畫示意圖

山野放牧圖
東漢
出于內蒙古鄂托克旗鳳凰山1號墓室西壁右側上部。
圖中牧人坐于山頭，居高臨下，觀察所牧牛馬的行動。

西漢至三國（公元前二〇六年至公元二六五年）

車馬出行圖

東漢

出于内蒙古鄂托克旗鳳凰山1號墓墓室西壁左側下部。畫面前部爲一導騎開道，畫面後部兩男子乘一軺車。

墓主踞坐圖

東漢

出于河南新安縣鐵塔山東漢墓墓室後壁。圖中墓主正面踞坐，相貌醜陋。左側侍男執金吾，右側侍女捧食。

伍伯 騎吏圖
東漢
出于河南偃師市杏園村2917號墓前室北壁西部。
此墓前室北壁繪出行圖，圖高60、總寬1200厘米。
圖中繪墓主人車前的伍伯和騎吏。

車前伍伯圖
東漢
出于河南偃師市杏園村2917號墓前室北壁。
爲出行圖第二車前伍伯。伍伯頭戴幘，身着長衣，纏裹腿。

騎吏圖

東漢

出于河南偃師市杏園村2917號墓前室北壁。

此墓由墓道、前甬道、前堂、後甬道和後室組成。由壁畫內容可知墓主人爲公卿以下的二千石品階或縣令以上的官吏。爲出行圖第二車前騎吏。騎吏頭戴手巾幘加紗冠，身穿寬袖衣，足蹬靴。馬無鐙。

騎吏圖（上圖）
東漢
出于河南偃師市杏園村2917號墓前室北壁中部。
爲出行圖第五車前騎吏。騎吏手持鞭。

出行安車圖
東漢
出于河南偃師市杏園村2917號墓前室北壁東端。
爲出行圖車隊中第八輛安車。車頂有蓋。御者頭戴平巾
幘，身穿交衽寬袖衣。

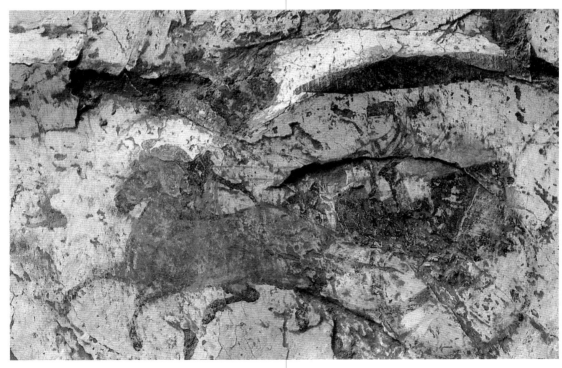

西漢至三國（公元前二○六年至公元二六五年）

車馬出行圖

東漢

出于河北安平縣逯家莊東漢墓中室北壁。

全圖高173、寬276厘米。

此墓由甬道、前室及左右側室、中室及左右側室、後中室及左側室、後室及後龕、北後室及後龕組成。壁畫主要繪于前室右側室、中室和中室右側室。墓主人爲二千石以上官吏，屬地方最高行政長官。墓內有"熹平五年"（公元176年）題記。

車馬出行圖分四層，每層表現墓主人不同的出行場面。此圖爲局部。

白蓋軺車圖（上圖）

東漢

出于河北安平縣逯家莊東漢墓中室北壁。
圖中御者戴赤幘穿黑衣，乘車者戴黑冠。

伍伯　辟車圖

東漢

出于河北安平縣逯家莊東漢墓中室南壁。
圖中伍伯戴赤幘，穿黃衣，右手執弩弓，左手持便面。
辟車位于伍伯之後，右手執梃杖，左手舉小旗狀便面。

車騎圖

東漢

出于河北安平縣逯家莊東漢墓中室南壁。

此圖爲出行圖的局部。每車後面均跟隨走卒或騎乘，走
卒或持矛或持便面。

侍衛圖

東漢

出于河北安平縣
逯家莊東漢墓前
室北壁。
圖中侍衛頭戴赤
幘，身穿黃衣，
坐于闋上。

官吏圖

東漢

出于河北安平縣
逯家莊東漢墓前
室右側室東壁。
圖中官吏頭戴黑
冠，身穿黑袍，
坐于闋上。

墓主圖

東漢

出于河北安平縣逯家莊東漢墓中室右側室南壁。

圖中墓主人端坐帳內，頭戴黑冠，穿紅袍，右手持黃色便面。侍者側身站立，戴黑幘，身穿黑袍。

謁見圖

東漢

出于河北安平縣逯家莊東漢墓前室右側室門道南壁。

圖中前者雙手捧盤，後者拱手持笏。

宅第望樓圖

東漢

出于河北安平縣逯家莊東漢墓中室南耳室北壁。

高230、寬135厘米。

望樓上設有遠望孔、司時鼓、相風鳥和測風旗，可對整
個宅第進行監視和管理。

侍門卒圖

東漢
出于河北望都縣1號東漢壁畫墓墓門東側。

圖中門卒頭戴赤幘，身穿黑袍，雙手持帚，身前墨書榜題“寺（侍）門卒”。

門下功曹圖

東漢
出于河北望都縣1號東漢壁畫墓前室西壁。

圖中功曹頭戴黑冠，身穿黑袍，腰佩劍，雙手持笏。墨書榜題"門下功曹"。

獐子圖（上圖）

東漢

出于河北望都縣1號東漢壁畫墓前室西壁。

圖中獐子腿上部有翼，作行走狀。

羊酒圖

東漢

出于河北望都縣1號東漢壁畫墓前室東壁。

圖中羊前腿上部有翼，羊前置一酒尊，墨書榜題"羊酒"二字。

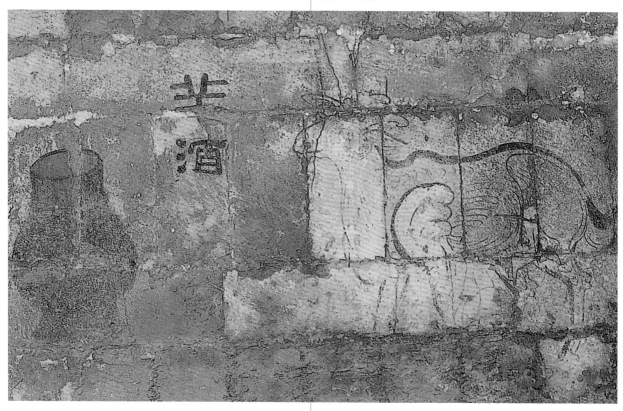

伍伯圖

東漢

出于河北望都縣1號東漢壁畫墓前室東壁。

圖中伍伯頭戴赤幘，身穿黃衣，足穿黑履，手持梃杖或棨戟。墨書榜題"辟車伍佰（伯）八人"。

主記吏圖

東漢
出于河北望都縣1號東漢壁畫墓前室北壁。

圖中人物頭戴黑冠，身穿黑袍，袖手坐于矮足方榻上，榻前有石硯。墨書榜題"主記史（吏）"。

拜謁 百戲圖

東漢

出于內蒙古和林格爾縣新店子1號漢墓前室北壁甬道門西側。

此墓由墓道、前室、中室、後室和三個側室組成，各室均繪壁畫。墓主人爲使持節護烏桓校尉。

圖中上半部爲墓主人接受拜謁，下半部爲百戲場面。

幕府圖

東漢

出于内蒙古和林格爾縣新店子1號漢墓前室東壁南端。

前室東壁南端和南壁東端組成"幕府圖"。本圖左側繪大門，墨書榜題"幕府東門"，門扇上繪青龍和白虎，門兩旁立建鼓，武士執戟守衛。幾道平行的粗綫，表示是府門的臺階，有人匍匐階沿等候召見。畫面下層繪三所屬曹府舍，分别墨書榜題"右賊曹"、"左賊曹"等。

幕府圖

東漢

出于内蒙古和林格爾縣新店子1號漢墓前室南壁東端。
本圖右側繪一大型府舍，墨書榜題"功曹"。下層繪三
所屬曹府舍，分別墨書榜題"尉曹"、"右倉曹"和
"左倉曹"。

出行及牧牛圖

東漢

出于内蒙古和林格爾縣新店子1號漢墓前室南耳室東壁。

圖上部爲出行場面；下部爲牛群，一騎者騎馬牧牛。

出行及牧馬圖

東漢

出于内蒙古和林格爾縣新店子1號漢墓前室南耳室西壁。

圖中上部爲車馬列隊出行場面；下部爲牧馬人放馬的場面。

出行及牧馬圖之一

出行及牧馬圖之二

繁陽縣倉圖

東漢

出于内蒙古和林格爾縣新店子1
號漢墓前室西壁甬道門南側。

高130、寬60厘米。

畫面上部繪一高大重檐倉樓，樓
前有倉曹吏卒和穀堆；中部繪一
人；下部繪兩人正在房屋下攀談
場面。

星象圖（上圖）

東漢

出于内蒙古和林格爾縣新店子1號漢墓前室北耳室頂部。

墓頂滿繪雲氣紋，以此代表天空星象。

過居庸關圖

東漢

出于内蒙古和林格爾縣新店子1號漢墓中室東壁。

全圖高67.5、寬132.4厘米。

此圖墨書榜題"居庸關"、"使君從繁陽遷度關時"，
描繪墓主人從繁陽令赴寧城就任護烏桓校尉途經居庸關
時的情景。

寧城幕府圖

東漢

出于内蒙古和林格爾縣新店子1號漢墓中室東壁下部。

全圖高129、寬318厘米。

此圖描繪墓主護烏桓校尉衙署内的設置和活動情況。

舞樂百戲圖

東漢
出于内蒙古和林格爾縣新店子1號
漢墓中室北壁。
高80、寬110厘米。
畫面以建鼓爲中心，四周繪有舞
輪、扎枝、飛劍、擲丸、倒提和對
舞等雜技戲耍。周圍墓主人與同僚
邊觀看邊宴飲。

建鼓圖

東漢
出于内蒙古和林格爾縣新店子1號
漢墓中室至後室甬道南壁。
圖中下部兩虎後部相連，虎背托大
鼓，鼓旁一鼓吏持槌擊鼓。

西漢至三國（公元前二○六年至公元二六五年）

雲氣圖

東漢

出于河南新密市打虎亭2號漢墓中室甬道券頂西下部。
此墓由墓道、甬道、前室、中室、後室、南耳室、東耳

室和北耳室組成。彩色壁畫主要繪于中室東段的券頂和
東、南、北壁面上。墓主人可能是弘農太守的夫人。
圖中怪獸、飛鳥隱没于雲氣中，神秘幻化。

藻井圖

東漢

出于河南新密市打虎亭2號漢墓中室甬道券頂。

七幅藻井長700、展開寬154厘米。

兩側壁豎"日"字形長框中各繪七幅仙人、异獸和神禽內容的壁畫。頂部繪有幾何和花卉圖案。

宴樂圖

東漢

出于河南新密市打虎亭2號漢墓中室東段北壁上部。

全幅長734、寬70厘米。

圖中帷帳中并坐兩人，似爲墓主人夫婦，正主持一場盛大宴會。

宴樂圖

東漢

出于河南新密市打虎亭2號漢墓中室東段北壁上部。

圖中表現了墓主人的歡宴場面。

宴樂圖

東漢

出于河南新密市打虎亭2號漢墓中室東段北壁上部。
畫面上下兩排爲賓客坐席，中間爲舞樂百戲。此圖左側
有兩人在表演踏鼓舞，右側坐于橫席旁的兩人正在爲其
擊鼓伴奏。再往右爲一人起舞，兩人伴奏，左側伴奏者
抱一樂器，右側伴奏者吹長角。

雙人擲丸圖（下圖）

東漢

出于河南新密市打虎亭2號漢墓中室東段北壁上部。
圖中兩人之間有十個灰白彈丸上下輪轉，表演認真，配
合默契。

門吏圖

東漢

出于遼寧遼陽市北園3號漢墓墓室西墓門東側門柱
西壁。

高59、寬33厘米。

圖中門吏作捧弓狀，敷彩淡雅和諧。

屬吏圖

東漢

出于遼寧遼陽市北園3號漢墓西耳室西壁。

圖中七小吏皆雙手持名刺，似在等候匯報。

墓主人夫婦圖（上圖）

東漢

出于陝西定邊縣郝灘鄉四十里鋪村1號墓墓室後壁。

圖中墓主人夫婦對坐，袖手。

現藏陝西省考古研究院。

庭院圖

東漢

出于陝西定邊縣郝灘鄉四十里鋪村1號墓墓室後壁。

圖中庭院有院門，院内正面和左右面有屋。

現藏陝西省考古研究院。

狩獵圖（上圖）

東漢

出于陝西定邊縣郝灘鄉四十里鋪村1號墓墓室後壁。
圖中繪一野猪在前狂奔，身後一狼緊追不捨。
現藏陝西省考古研究院。

飛鶴圖

東漢

出于陝西定邊縣郝灘鄉四十里鋪村1號墓墓室西壁。
圖中仙鶴引頸奮飛，色彩艷紅。
現藏陝西省考古研究院。

馬車圖
東漢
出于陝西定邊縣郝灘鄉四十里鋪村1號墓墓室東壁。
圖中車高大，車頂有蓋。御者身穿交衽寬袖衣。
現藏陝西省考古研究院。

西漢至三國（公元前二〇六年至公元二六五年）

官吏圖
東漢
出于陝西旬邑縣百子溝東漢墓。
圖中左側相對而坐的兩人爲官，右側共六位站立者爲吏，像旁墨書吏名。
現藏陝西省考古研究院。

主僕圖
東漢
出于陝西旬邑縣百子溝東漢墓。
圖中右側繪女主人跽坐，左側數名侍女站立恭候。
現藏陝西省考古研究院。

斧車圖（上圖）

東漢

出于河南滎陽市王村鎮萇村漢墓前室側壁。

斧車是出行的前導車，車中插巨斧，象徵威儀。漢代祇有官級在千石以上者，才導以斧車。

白蓋軺車圖

東漢

出于河南滎陽市王村鎮萇村漢墓前室側壁。

圖中軺車上立白色傘蓋，傘蓋下坐二人，一爲御夫，一爲墓主的屬吏。

皂蓋軺車圖

東漢

出于河南滎陽市王村鎮萇村漢墓前室側壁。
圖中車蓋爲黑色，左側車輿有紅輀。上部墨
書"供北陵令時車"。

人物鳥獸圖

東漢

出于河南滎陽市王村鎮萇村漢墓前室頂南側
壁西段。
圖中人物、飛雀、奔馬間以雲紋條帶間隔成
框。上層有一奔騰駿馬，中間所繪人物爲一
男一女，男子扭首回視，拱手朝女子作揖，
女子雙足赤露，右手揚起作回應狀。下層一
飛鳥。

人物鳥獸圖

東漢

出于河南滎陽市王村鎮萇村漢墓前室頂南側壁西段。
圖中上層爲一貓一鳥。中層爲一女子仰首，似與上層的
鳥交談。下層爲一飛鳥。

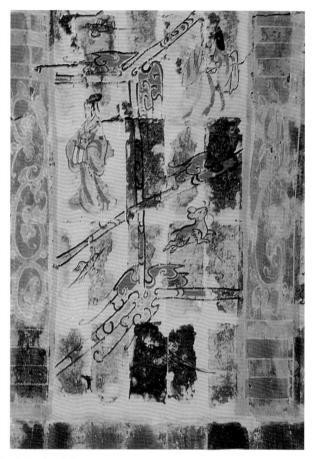

人物鳥獸圖

東漢

出于河南滎陽市王村鎮萇村漢墓前室頂南側壁西段。
圖中上層爲一飛鳥，中間爲兩女子，相互隔開。其下層
有飛鳥和奔兔。再下爲一飛鳥。

人物鳥獸圖

東漢

出于河南滎陽市王村鎮萇村漢墓前室頂南側壁西段。
圖中最上層爲一雙首前腿生翼瑞獸和一鳥。中間爲一前腿生翼奔獸和一鳥。其下爲一男子，側步疾行，作招呼狀。

宴飲圖

東漢

出于四川中江縣民主鄉塔梁子崖墓群3號墓。
高70、寬80厘米。
壁畫先在石壁上平塗一層細泥，然後施彩繪畫。圖中兩主人踞坐，席前擺盤，盤中有碗。一僕人持便面侍立。畫面上部有墨書榜題。

西漢至三國（公元前二○六年至公元二六五年）

宴飲圖（上圖）

東漢

出于四川中江縣民主鄉塔梁子崖墓群3號墓。

高70、寬98厘米。

圖中兩主人對坐，四位僕人捧物侍奉。畫面上部有墨書
榜題。

雙人圖

東漢

出于四川中江縣民主鄉塔梁子崖墓群3號墓。

壁畫直接繪于石壁上。圖中兩人似對飲或對弈。

朱雀圖

東漢

出于四川中江縣民主鄉塔梁子崖墓群3號墓。
高75、寬60厘米。
壁畫直接繪于石壁上。圖中朱雀用黑綫勾勒
綫條，身部塗朱色，腿部填藍綠色。

女墓主與侍女圖

東漢–三國

出于河南洛陽市朱村壁畫墓墓室北壁西側。
圖中女墓主人身穿紅袍，袖手端坐于几前。
其身後兩侍女，靠近女墓主身旁的侍女臂上
搭一紅色長巾。

西漢至三國（公元前二〇六年至公元二六五年）

男墓主與侍僕圖
東漢–三國

出于河南洛陽市朱村壁畫墓墓室北壁西側。
圖中男墓主戴進賢冠，其身旁并立兩男侍。

跪伏者圖

東漢–三國

出于河南洛陽市
朱村壁畫墓墓室
南壁中下部。

圖中人物頭戴進
賢冠，着黑袍，
雙手于胸前捧
盾，跪姿，俯身
作迎接狀。

出行圖

東漢–三國

出于河南洛陽市朱村壁畫墓墓室南壁中下部。

圖中左起第一車坐兩人，御者居右；第二車有白色傘
蓋，車坐兩人，御者居左；第三車有厢和傘蓋，御者雙
手執繮。

導車圖

東漢—三國

出于河南洛陽市朱村壁畫墓墓室南壁中下部。
畫面爲出行場面
的第一乘導車。
車上坐三人。御
者居中，頭戴黑
帽，身着黑袍，
雙手執繮。

 乘者圖

東漢—三國

出于河南洛陽
市朱村壁畫墓
墓室南壁。
圖中二人，一
人御馬，一人
乘坐，車上有
傘蓋。

傘蓋車騎圖（上圖）

東漢－三國

出于河南洛陽市朱村壁畫墓墓室南壁。

圖中紅馬奮蹄前馳，車有白色傘蓋，邊綴紅飾，上坐二人。

瑞鹿圖

東漢－三國

出于河南洛陽市朱村壁畫墓墓室東壁。

圖中鹿身有白色斑點，伏臥于地。

兩晉南北朝（公元二六五年至公元五八九年）

奔馬圖

魏晉

新疆若羌縣樓蘭遺址出土。

圖中馬頭部分被破壞，馬兩前腿奮力抬起，後腿受力，動感十足。

宴飲圖

魏晉

新疆若羌縣樓蘭遺址出土。

壁畫被破壞，人物臉部均不存，祇殘留部分鬍鬚。人物手持杯或盤，似在飲酒。

獨角獸圖
魏晉
新疆若羌縣樓蘭遺
址出土。
圖中獨角獸弓背低
頭，作角抵狀。

墓主圖（上圖）

魏晋

出于北京石景山區八角村魏晋墓前室石龕後壁。
圖中墓主人端坐榻上，頭戴護耳平頂冠，蓄鬚，身着合衽袍式上衣。右手執一飾有獸面的塵尾。面前置几，几旁各立一侍女。

牛耕圖

魏晋

出于北京石景山區八角村魏晋墓前室石龕西壁。
圖中一農夫雙手扶犁趔壟，二牛抬杠前行。

女媧圖

魏晋

出于甘肅高臺縣駱駝城畫像磚墓。

磚長39、寬19.5、厚5厘米。

圖中女媧蛇尾虎爪，左手持矩，右手擎月輪，月中有蟾蜍。

現藏甘肅省高臺縣博物館。

伏羲圖

魏晋

出于甘肅高臺縣駱駝城畫像磚墓。

磚長39、寬19.5、厚5厘米。

圖中伏羲高髻，穿寬袖袍，兩腿間有蛇尾。一手持規，一手擎日輪，日中有金烏。

現藏甘肅省高臺縣博物館。

神獸圖

魏晉

出于甘肅高臺縣駱駝城畫像磚墓。

磚長39、寬19.5、厚5厘米。

圖中三神獸行于雲間。

現藏甘肅省高臺縣博物館。

對坐進食圖

魏晉

出于甘肅高臺縣駱駝城畫像磚墓。

磚長39、寬19.5、厚5厘米。

圖中夫婦二人，其間食器似爲獸形樽。

現藏甘肅省高臺縣博物館。

耱地圖

魏晉

出于甘肅高臺縣駱駝城畫像磚墓。

磚長39、寬19.5、厚5厘米。

圖中農夫頭束髻，身着交領長袍，一牛拉耙耱地。

現藏甘肅省高臺縣博物館。

牧鹿圖

魏晉

出于甘肅高臺縣駱駝城畫像磚墓。

磚長39、寬19.5、厚5厘米。

圖中十五隻鹿占據主要畫面，或臥或立，姿態不一。

現藏甘肅省高臺縣博物館。

兩晉南北朝（公元二六五年至公元五八九年）

放牧圖

魏晉

出于甘肅高臺縣駱駝城畫像磚墓。

磚長39、寬19.5、厚5厘米。

圖中牧人執鞭，三馬一駱駝周邊食草。

現藏甘肅省高臺縣博物館。

牽馬圖

魏晉

出于甘肅高臺縣駱駝城畫像磚墓。

磚長39、寬19.5、厚5厘米。

圖中馴馬人執繮牽馬，其後一狗隨行。

現藏甘肅省高臺縣博物館。

并馳圖
魏晉
出于甘肅高臺縣駱駝城畫像磚墓。
磚長39、寬19.5、厚5厘米。
圖中二人揚鞭催馬疾馳。
現藏甘肅省高臺縣博物館。

贈刀圖
魏晉
出于甘肅高臺縣駱駝城畫像磚墓。
磚長39、寬19.5、厚5厘米。
圖中右側一人持長刀相贈，左側一人拱手致謝。
現藏甘肅省高臺縣博物館。

議事圖

魏晉

出于甘肅酒泉市果園鄉西溝村7號墓前室東壁。

磚長34、寬17厘米。

圖中右側榻上人物似爲墓主人，手持便面，其身後立一屏風，前跪男子神態謙恭。

彈琴圖

魏晉

出于甘肅酒泉市果園鄉西溝村7號墓前室東壁。

磚長35、寬17厘米。

圖中兩人相對彈弦。

炊厨圖

魏晋

出于甘肅酒泉市果園鄉西溝村7號墓前室東壁。

磚長35、寬17厘米。

圖中厨娘跪坐于竈膛前，手持撥火棍，正煮食物。

煎餅圖

魏晋

出于甘肅酒泉市果園鄉西溝村7號墓前室東壁。

磚長35、寬17厘米。

圖中一女子正跪在熱氣騰騰的鍋前燒火煎餅。

騎吏與背水女子圖

魏晉

出于甘肅酒泉市果園鄉西溝村7號墓前室北壁第2層。

磚長35、寬16.7厘米。

圖中前面一人騎馬疾行，後面一女子背水徐行。

汲水圖

魏晉

出于甘肅酒泉市果園鄉西溝村7號墓前室南壁第3層。

磚長35、寬17厘米。

圖中一女子用井繩吊皮囊汲水，後置一大水缸。

少女進帳圖
魏晉
出于甘肅酒泉市果園鄉西溝村7號墓前室南壁。
磚長35、寬17厘米。
圖中少女緩步向帳中走去。

耕耙圖
魏晉
出于甘肅酒泉市果園鄉西溝村7號墓前室西壁。
磚長35、寬17厘米。
圖中一農夫牽牛耙地。

揚場圖

魏晉

出于甘肅酒泉市果園鄉西溝村7號墓前室西壁。

磚長35、寬17厘米。

圖中農夫持叉揚場。

騎卒與鼓吏圖

魏晉

出于甘肅酒泉市果園鄉西溝村7號墓前室西壁。

磚長35、寬17厘米。

圖中騎卒持矛前刺，後隨者腰繫一面鼓，左手又舉一鼗鼓，身旁題有"鼓史（吏）"二字。

話別圖

魏晉

出于甘肅酒泉市果園鄉西溝村7號墓前室西壁。

磚長34、寬17厘米。

圖中車上之人揮手與車下之人告別。

牛與牛車圖

魏晉

出于甘肅酒泉市果園鄉西溝村7號墓前室西壁。

磚長34、寬16.5厘米。

圖中一牛臥于牛車前，作歇息狀。

侍女圖

魏晋

出于甘肅酒泉市果園鄉西溝村魏晋墓。

磚長34、寬17厘米。

圖中兩侍女捧盒行進。

耕作圖

魏晋

出于甘肅酒泉市果園鄉西溝村魏晋墓。

磚長35、寬17厘米。

圖中男子驅牛耕地。

舞女圖

魏晉

出于甘肅酒泉市果園鄉西溝村魏晉墓。

磚長35、寬17厘米。

圖中一女雙手執扇，另一女手持帶，作舞蹈狀。

牧羊圖

魏晉

出于甘肅酒泉市果園鄉西溝村魏晉墓。

磚長39、寬19厘米。

圖中羊倌身披雨披，手持木鞭，足穿長靴。

騎導圖

魏晋

出于甘肅酒泉市果園鄉西溝村魏晋墓。

磚長35、寬17厘米。

圖中四人騎馬前行，爲出行的前導人員。

拜謁圖

魏晋

出于甘肅酒泉市果園鄉西溝村魏晋墓。

磚長39、寬19厘米。

圖中央坐一高冠寬服人物，其左側一人跪拜，右側一人侍立。

行刑圖

魏晉

出于甘肅酒泉市果園鄉西溝村魏晉墓。

磚長39、寬19厘米。

圖中兩人伏地，另兩人舉鞭施刑。

宰羊圖

魏晉

出于甘肅酒泉市果園鄉西溝村魏晉墓。

磚長39、寬19厘米。

圖中羊前後腿繫繩吊起，屠夫持刀割肉。

佛爺廟灣第37號墓照墙仿木斗栱及壁畫磚分布示意圖

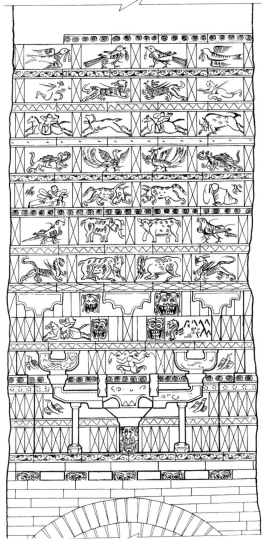

青龍圖

西晉

出于甘肅敦煌市佛爺廟灣第37號墓照墙仿木斗栱之上第七層。

磚長32厘米。

圖中青龍面左，頭生角，前足上部生雙翼。

現藏甘肅省文物考古研究所。

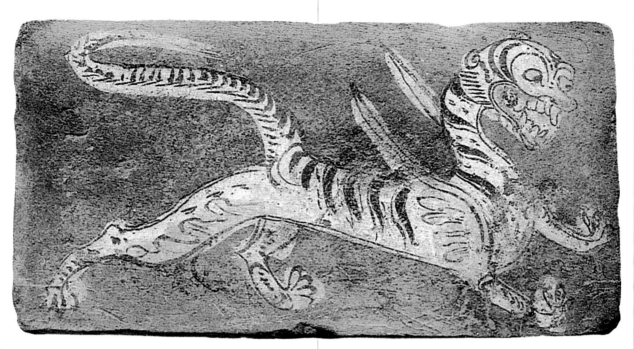

白虎圖

西晉

出于甘肅敦煌市佛爺廟灣第37號墓照墙仿木斗栱之上第七層。

磚長32厘米。

圖中白虎面右，昂首，暴睛巨口，前膀有羽翼。

現藏甘肅省文物考古研究所。

朱雀圖

西晉

出于甘肅敦煌市佛爺廟灣第37號墓照墙仿木斗栱之上第四層。

磚長32厘米。

圖中朱雀頭上有翎，作行走狀。

現藏甘肅省文物考古研究所。

兩晉南北朝（公元二六五年至公元五八九年）

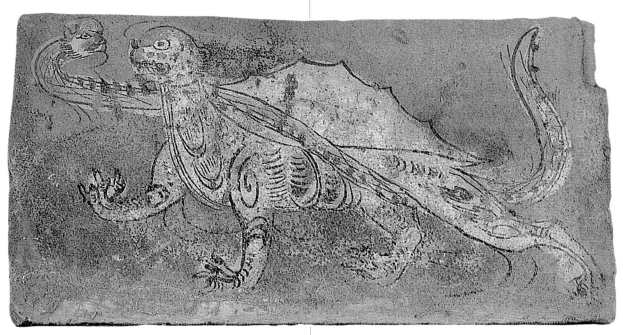

玄武圖

西晋

出于甘肅敦煌市佛爺廟灣第37號墓照墙仿木斗栱之上
第四層。

磚長32厘米。

圖中長蛇繞至龜前， 回首與龜首相對，這仍是漢式玄
武的典型特徵。

現藏甘肅省文物考古研究所。

麒麟圖

西晋

出于甘肅敦煌市佛爺廟灣第37號墓照墙仿木斗栱之上
第二層。

磚長32厘米。

圖中麒麟頭生劍狀獨角，體有羽狀鱗，三叉狀尾。

現藏甘肅省文物考古研究所。

天禄圖

西晉

出于甘肅敦煌市佛爺廟灣第37號墓照墻仿木斗栱之
上第五層。

磚長32厘米。

圖中天禄獸首，熊面，頭生角，身有翼，體上飾金
錢斑。

現藏甘肅省文物考古研究所。

大角神鹿圖

西晉

出于甘肅敦煌市佛爺廟灣第37號墓照墻仿木斗栱之上
第七層。

磚長32厘米。

圖中鹿首似犬，前肩和後胯部有翼。

現藏甘肅省文物考古研究所。

玄鳥圖

西晋

出于甘肅敦煌市佛爺廟灣第37號墓照墻仿木斗栱之上
第一層。

磚長32厘米。

玄鳥，即燕子。圖中玄鳥口銜書袋，作飛翔狀。

現藏甘肅省文物考古研究所。

白鸚鵡圖

西晋

出于甘肅敦煌市佛爺廟灣第37號墓照墻仿木斗栱之上第
六層。

磚長32厘米。

圖中鸚鵡作行走狀。

現藏甘肅省文物考古研究所。

白象圖

西晉

出于甘肅敦煌市佛爺廟灣第37號墓照墙仿木斗栱之上第
六層。

白象係佛教重要瑞獸。圖中白象前後腿有翼。

現藏甘肅省文物考古研究所。

卧羊圖

西晉

出于甘肅敦煌市佛爺廟灣第37號墓北壁。

磚長32厘米。

圖中羊首上昂，曲角，身體趴卧，前、後胯均有翼。

現藏甘肅省文物考古研究所。

獸面圖（上圖）

西晋

出于甘肅敦煌市佛爺廟灣第37號墓照墙仿木斗栱間。

圖中獸面眼眉下垂，呲牙咧嘴，一臉苦相。

現藏甘肅省文物考古研究所。

托山力士圖

西晋

出于甘肅敦煌市佛爺廟灣第37號墓照墙仿木斗栱間。

圖中力士束髮髻，袒上身，下身着花褲，兩臂曲張作托舉狀。力士上部爲連綿的群山。

現藏甘肅省文物考古研究所。

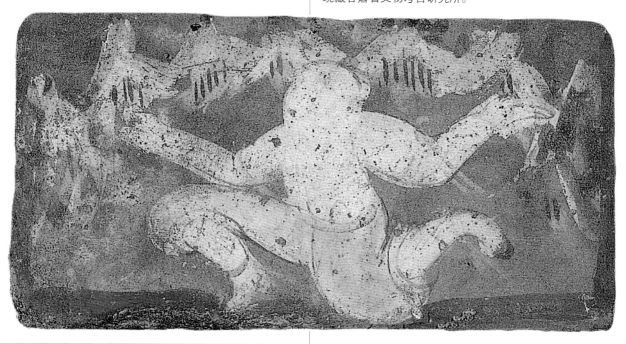

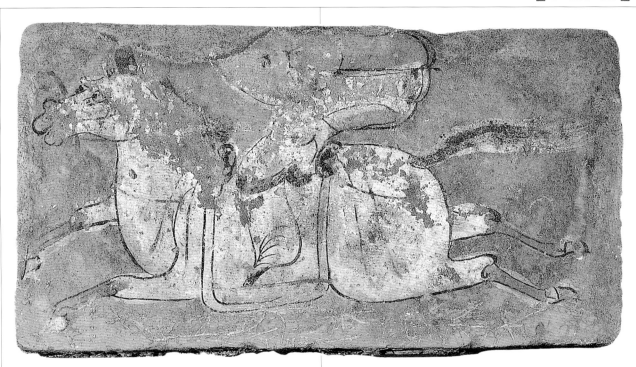

李廣射虎圖

西晋

出于甘肅敦煌市佛爺廟灣第37號墓照墻仿木斗栱間。

磚長32厘米。

圖中馬上將軍拉弓搭箭，回身欲射。

現藏甘肅省文物考古研究所。

野牛圖

西晋

出于甘肅敦煌市佛爺廟灣第37號墓照墻仿木斗栱間。

磚長32厘米。

圖中描繪黑色野牛中箭的場面。

現藏甘肅省文物考古研究所。

伯牙和子期圖

西晋

出于甘肃敦煌市佛爺廟灣第37號墓照墙仿木斗栱之上第五層。

由二塊磚構成，每磚長32厘米。

一磚爲伯牙鼓琴，另一磚爲子期聽琴。

現藏甘肃省文物考古研究所。

伯牙鼓琴

子期聽琴

進食圖

西晉

出于甘肅敦煌市佛爺廟灣第37號墓墓室西壁北側。

磚長32厘米。

圖中一僕人捧樽向主人獻食。

現藏甘肅省文物考古研究所。

牛車圖

西晉

出于甘肅敦煌市佛爺廟灣第37號墓墓室西壁北側。

磚長32厘米。

圖中繪卸車歇息的臥牛。

現藏甘肅省文物考古研究所。

兩晉南北朝（公元二六五年至公元五八九年）

驗糧圖

西晉

出于甘肅敦煌市佛爺廟灣第37號墓墓室西壁南側。

磚長32厘米。

圖中繪主人來檢查收成情況，一農奴正將堆在穀場的糧食盛上一鉢奉上供驗看。

現藏甘肅省文物考古研究所。

閣樓式倉廩圖

西晉

出于甘肅敦煌市佛爺廟灣第37號墓墓室西壁。

磚長32厘米。

圖中上部畫房檩，倉廩門下設象徵性樓梯。

現藏甘肅省文物考古研究所。

卧羊圖

西晉

出于甘肅敦煌市佛爺廟灣第39號墓墓室西壁。

磚長32厘米。

圖中羊曲角，頦下有鬚，身體趴卧，前、後胯處有翼。

現藏甘肅省文物考古研究所。

母童嬉戲圖

西晉

出于甘肅敦煌市佛爺廟灣第39號墓墓室西壁。

圖中束髻童子右手持一棍狀物于胯下作騎馬狀，旁側成年女子正伸出雙臂作呵護關心狀。

現藏甘肅省文物考古研究所。

撮糧圖

西晉

出于甘肅敦煌市佛爺廟灣第39號墓墓室西壁。

磚長32厘米。

圖中一農夫正在撮糧，一農婦雙手持樽而立，表現了農忙時的生活場景。

現藏甘肅省文物考古研究所。

雙雞圖

西晉

出于甘肅敦煌市佛爺廟灣第39號墓墓室西壁。

磚長32厘米。

圖中長尾公雞前行，母雞隨其後。

現藏甘肅省文物考古研究所。

藻井蓮花紋圖

西晋

出于甘肅敦煌市佛爺廟
灣第39號墓。

圖正中繪蓮房，對稱延
出蓮花八葉蓮瓣。蓮瓣
外一圈繪鳧和魚。

現藏甘肅省文物考古研
究所。

白虎圖

西晋

出于甘肅敦煌市佛爺廟
灣第91號墓。

磚長32厘米。

圖中白虎昂首，暴睛巨口，長頸，口中銜叼一物，四肢
作奔躍狀，長尾捲曲。

現藏甘肅省文物考古研究所。

奔羊圖

西晉

出于甘肅敦煌市佛爺廟灣第91號墓。

磚長32厘米。

圖中羊長角長耳，前、後胯部有翼，作奔躍狀。

現藏甘肅省文物考古研究所。

九尾狐圖

西晉

出于甘肅敦煌市佛爺廟灣第91號墓。

圖中九尾狐獸首，立耳，肩胛生翼翅，長尾九分，身體有排羽狀毛飾。

現藏甘肅省文物考古研究所。

飛鳥朝鳳圖

西晋

出于甘肅敦煌市佛爺廟灣第91號墓。

圖中鳳凰頭頂山形冠，其前後各有一隻飛鳥盤旋，對鳳凰作恭服狀。

現藏甘肅省文物考古研究所。

人面龍身怪獸圖

西晋

出于甘肅敦煌市佛爺廟灣第91號墓。

圖中怪獸人面大眼，巨口小耳，口銜一魚，身體盤旋彎曲。

現藏甘肅省文物考古研究所。

兩晉南北朝（公元二六五年至公元五八九年）

少女搏虎圖

西晉

出于甘肅敦煌市佛爺
廟灣第91號墓。
因盜擾坍塌，畫像磚
出土位置不詳。畫面
左側爲群山，少女持
刀似有驅趕惡虎歸山
之意。
現藏甘肅省文物考古
研究所。

蓮花藻井圖

西晉

出于甘肅敦煌市佛爺
廟灣第133號墓前室頂
部正中。
所用方磚邊長均爲38
厘米。
圖中蓮瓣較扁，蓮瓣
端間填以若干弧綫。
現藏甘肅省文物考古
研究所。

闕門

西晉

出于甘肅敦煌市佛爺廟灣第133號墓照墙頂層。

圖中左側闕柱繪侍女持勺，右側闕柱繪男侍持帚。仿木構菱形窗格左側繪牛首人身像，右側繪鷄首人身像。闕門上繪兩隻獸首相對的白虎。下面畫像磚上繪各種翼獸。

現藏甘肅省文物考古研究所。

辟邪圖

西晉

出于甘肅敦煌市佛爺廟灣第133號墓照墙仿木斗栱之上第九層。

磚長38厘米。

圖中辟邪獸首，頭有短角，前膀生翼，三叉尾，身飾網格紋。

現藏甘肅省文物考古研究所。

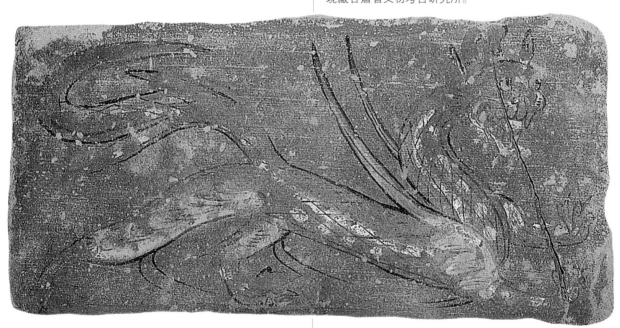

受福圖

西晋

出于甘肅敦煌市佛爺廟灣第133號墓照墻仿木斗栱之上第九層。

圖中獸面似犬首，人身有長尾，狀似叉形。

現藏甘肅省文物考古研究所。

帶翼神馬圖

西晋

出于甘肅敦煌市佛爺廟灣第133號墓照墻仿木斗栱之上第一層。

磚長38厘米。

圖中馬體生翼，作飛騰狀。

現藏甘肅省文物考古研究所。

持帚門吏圖

西晉

出于甘肅敦煌市佛爺廟灣第133號墓照墻頂部仿闕建築
的右闕柱。

磚長38厘米。

圖中門吏手持掃帚侍立。

現藏甘肅省文物考古研究所。

持勺女僕圖

西晉

出于甘肅敦煌市佛爺廟灣第133號墓照墻頂部仿闕建築
的左闕柱。

磚長38厘米。

圖中女僕頭梳高髻，髻後垂有一鬟，耳墜耳環，身着圓
領長衫，脚穿履。

現藏甘肅省文物考古研究所。

赤鳥圖

西晉

出于甘肅敦煌市佛爺廟灣第167號墓。

磚長32厘米。

圖中赤鳥長喙，頭頂有長立羽，引頸前探，長尾拖地。

現藏甘肅省文物考古研究所。

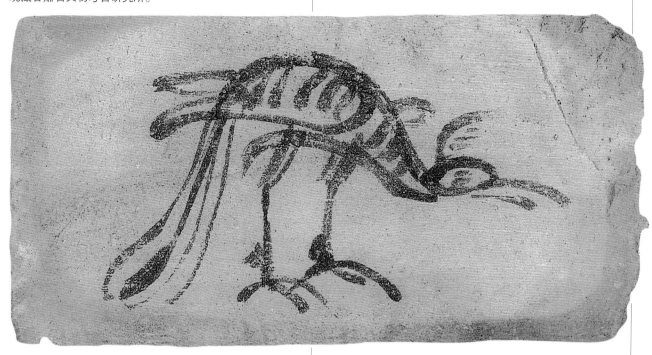

猞猁圖

西晉

出于甘肅敦煌市佛爺廟灣第167號墓照墙壁面。

圖中猞猁巨口獠牙，粗頸長尾，作奔跑嘶吼狀。

現藏甘肅省文物考古研究所。

伯牙撫琴圖
西晉
出于甘肅敦煌市佛爺廟灣第167號墓。
圖中表現伯牙琴聲悦耳，不僅讓鍾子期心動，而且吸引
來無數禽鳥，降落其旁，張嘴伸頸，痴痴聽琴。
現藏甘肅省文物考古研究所。

鳳鳥圖
西晉
出于甘肅敦煌市佛爺廟灣第167號墓。
圖中鳳鳥高冠長喙，兩翼張開，長尾有翎。
現藏甘肅省文物考古研究所。

獵兔圖

西晋

出于甘肅嘉峪關市新城1號墓。

磚長36.5、寬17.5厘米。

圖中三人策馬逐兔，驚兔返身而逃。

放牧圖

西晋

出于甘肅嘉峪關市新城1號墓。

磚長35厘米。

圖中描繪牧童放牧牛羊的場面。

二女庖廚圖

西晋

出于甘肅嘉峪關市新城1號墓。

磚長36.5、寬17.5厘米。

圖中兩人正在準備廚事。

進食圖

西晋

出于甘肅嘉峪關市新城1號墓。

磚長36.5、寬17.5厘米。

圖中前面三女子托食盤，後面一女子持筷隨行。

宴飲圖

西晉
出于甘肅嘉峪關市新城1號墓。
磚長36.5、寬17.5厘米。
圖中右側男子坐于座上，手持便面；左側一男子手持烤
肉串獻食。人物旁有墨書榜題。

聽琴圖

西晉
出于甘肅嘉峪關市新城1號墓。
磚長36.5、寬17.5厘米。
圖中左側三人坐于座上，聽右側之人彈琴。

聽樂圖
西晋

出于甘肅嘉峪關市新城1號墓。

磚長36.5、寬17.5厘米。

圖中左側四人坐于座墊上，聽右側二人演奏樂器。

井飲圖
西晋

出于甘肅嘉峪關市新城1號墓。

磚長36.5、寬17.5厘米。

圖中中部一男子正在從井中提水，兩旁各種動物飲水。
井旁墨書"井飲"。

狩獵圖

西晋
出于甘肅嘉峪關市新城1號墓。
磚長36.5、寬17.5厘米。
圖中三男子放鷹驅犬追獵一鹿。

"塢"圖

西晋
出于甘肅嘉峪關市新城1號墓。
磚長36.5、寬17.5厘米。
圖中有門有屋，空地上拴養馬和牛，圈中飼養羊和牛。
圖中央偏左處書"塢"字。

莊園生活圖（上圖）

西晋

出于甘肅嘉峪關市新城3號墓前室東壁。

高200、寬290厘米。

圖中閣門及耳室券門上題有"各內"、"牛馬庵"和"車廡"的字樣。上部爲出行，中部爲狩獵，下部爲燒烤、牛耕和濾醋等圖。

出行圖

西晋

出于甘肅嘉峪關市新城３號墓前室東壁。

長58、寬54厘米。

圖中左側一人領騎，大隊人馬隨行。

屯營圖

西晉

出于甘肅嘉峪關市新城3號墓前室南壁右上角。

長90、寬60厘米。

圖中主將居于中心大帳，周圍小帳密布，帳外均立戟、盾以示防衛。

屯墾圖

西晉

出于甘肅嘉峪關市新城3號墓前室南壁左上角。

長88、寬54厘米。

圖中反映了軍隊屯田的場景。

狩獵圖

西晉

出于甘肅嘉峪關市新城 3 號墓。

磚長36.5、寬17.5厘米。

圖中獵人騎馬追獵一羊。

耕種圖

西晉

出于甘肅嘉峪關市新城 3 號墓。

磚長36.5、寬17.5厘米。

圖中男子揚鞭驅牛耕地，其身後女子隨行撒種。

庖厨圖

西晉

出于甘肅嘉峪關市新城 3 號墓。

磚長36.5、寬17.5厘米。

圖中女子正在厨房中準備食物。

奏樂圖

西晉

出于甘肅嘉峪關市新城 3 號墓。

磚長36.5、寬17.5厘米。

圖中兩人一吹竪笛一彈琵琶。

獻食圖

西晉

出于甘肅嘉峪關市新城4號墓前室西壁。磚長18、寬18厘米。圖中侍女提壺捧盤獻食，真實再現了當時河西婦女的形象。

縱鷹獵兔圖

西晉

出于甘肅嘉峪關市新城4號墓前室西壁。磚長36、寬17厘米。圖中兩人放鷹逐一野兔。

播種圖

西晋

出于甘肅嘉峪關市新城4號墓。

磚長36.5、寬17.5厘米。

圖中左側女子左手托籃，右手播種，其身後一人拍土。

牽羊圖

西晋

出于甘肅嘉峪關市新城4號墓。

磚長36.5、寬17.5厘米。

圖中男子提壺前行，身後童子牽羊隨行。

出行圖（上圖）
西晋
出于甘肅嘉峪關市新城5號墓前室東壁。
全幅高36、寬120厘米。
圖中墓主人騎乘位于騎隊中間，前後皆有持武器的騎士
護衛。此選爲局部。

牧馬圖
西晋
出于甘肅嘉峪關市新城5號墓前室東壁。
磚長35、寬16厘米。
圖中牧馬人高鼻，有鬍鬚，頭戴船形氈帽。

出行及其它

西晋

出于甘肅嘉峪關市新城5號墓前室東壁。

畫面下部爲大面積出行圖，上部數磚分別繪鳥、射牛、

宅院和牛車等。

燙禽圖

西晋

出于甘肅嘉峪關市新城5號墓前室西壁。

磚長35、寬16厘米。

圖中兩女婢相對跪坐，分別洗燙着宰殺過的家禽。

牽駝圖

西晉

出于甘肅嘉峪關市新城6
號墓前室北壁。

磚長36、寬17厘米。

圖中男子執鞭牽駱駝
前行。

侍女圖

西晉

出于甘肅嘉峪關市新城
6號墓。

磚高17.5厘米。

圖中侍女着長裙，舒展
兩臂，低頭視物。

兩晋南北朝（公元二六五年至公元五八九年）

提水女圖

西晋

出于甘肅嘉峪關市
新城6號墓。

磚高17.5厘米。

圖中侍女雙手平伸
而立，右手提桶。

采桑圖

西晋

出于甘肅嘉峪關市新城6號墓前室東壁。

磚長36、寬17厘米。

圖中男童彎弓驅鳥，保護桑樹，女童提籃采桑。

采桑圖

西晋

出于甘肅嘉峪關市新城6號墓。

磚長36.5、寬17.5厘米。

圖中女童采桑，男童擲石塊驅鳥。

放鷹圖

西晋

出于甘肅嘉峪關市新城6號墓。

磚長36.5、寬17.5厘米。

鷹爲當時獵人狩獵時的助手。圖中獵人正在馴鷹。

宰牛圖

西晋

出于甘肅嘉峪關市新城6號墓前室東壁。

磚長36、寬17厘米。

圖中一男人正舉槌欲擊牛頭，而牛縮首後退，眼中因恐懼而充血。

宰猪圖

西晋

出于甘肅嘉峪關市新城6號墓。

磚長36.5、寬17.5厘米。

圖中猪置于案上，屠人正在宰殺。

殺牲圖

西晋
出于甘肅嘉峪關市新城6號墓。
磚長36.5、寬17.5厘米。
圖中牲畜被倒懸綁定，屠人在一旁準備宰殺。

牽羊圖

西晋
出于甘肅嘉峪關市新城6號墓。
磚長36.5、寬17.5厘米。
圖中男子頭戴帽，牽羊前行。

兩晋南北朝（公元二六五年至公元五八九年）

庖厨圖
西晋
出于甘肅嘉峪關市新城6號墓。
磚長36.5、寬17.5厘米。
圖中女子正在準備厨事。

耙地圖
西晋
出于甘肅嘉峪關市新城6號墓。
磚長36.5、寬17.5厘米。
圖中童子坐于耙上，驅牛耙地。

切肉圖

西晉
出于甘肅嘉峪關市新城6號墓。
磚長36.5、寬17.5厘米。
圖中男子正在案上切肉，墙上挂肉條，盤中放已切好
的肉塊。

宴飲圖

西晉
出于甘肅嘉峪關市新城6號墓。
磚長36.5、寬17.5厘米。
圖中僕人獻食，主人伸手接食。

兩晉南北朝（公元二六五年至公元五八九年）

宴飲圖

西晉

出于甘肅嘉峪關市新城6號墓。

磚長36.5、寬17.5厘米。

圖中僕人把已烤好的肉串獻給主人。

備車圖

西晉

出于甘肅嘉峪關市新城6號墓。

磚長36.5、寬17.5厘米。

圖中僕人備好牛車準備出行。

出行圖

西晋

出于甘肅嘉峪關市新城6號墓。

磚長36.5、寬17.5厘米。

圖中二人騎馬出行。

奏樂圖

西晋

出于甘肅嘉峪關市新城6號墓。

磚長36.5、寬17.5厘米。

圖中兩人正在席間演奏樂器。

切肉庖厨圖
西晋
出于甘肅嘉峪關市新城6號墓。
磚寬17.5厘米。
圖中一人正在案上切肉，另一人在旁邊幫忙。

獵羊圖
西晋
出于甘肅嘉峪關市新城7號墓前室東壁。
磚長36、寬17厘米。
圖中男子騎馬張弓，正在追獵一中箭的奔羊。

宴飲圖

西晋

出于甘肅嘉峪關市新城7號墓。

磚長36.5、寬17.5厘米。

圖中一男二女坐于几兩側，几上有食物。

出行圖

西晋

出于甘肅嘉峪關市新城7號墓。

磚長36.5、寬17.5厘米。

圖中男子有鬍鬚，執鞭騎馬。

両晋南北朝（公元二六五年至公元五八九年）

出行圖

西晋

出于甘肅嘉峪關市新城7號墓。

磚長36.5、寬17.5厘米。

圖中三人騎馬而行。

獻食圖

西晋

出于甘肅嘉峪關市新城7號墓。

磚長36.5、寬17.5厘米。

圖中二女捧盤，一女提壺送食物。

殺鷄圖

西晋

出于甘肅嘉峪關市新城7號墓。

磚長36.5、寬17.5厘米。

圖中一女殺鷄，中間有一大水盆，準備燙鷄。

庖厨圖

西晋

出于甘肅嘉峪關市新城7號墓。

磚長36.5、寬17.5厘米。

圖中兩女子持筷準備食物。

両晋南北朝（公元二六五年至公元五八九年）

婦人童子圖
西晋
出于甘肅嘉峪關市新城12號墓。
磚寬17.5厘米。
圖中婦女前行，身後一童子隨行。

耕地圖
西晋
出于甘肅嘉峪關市新城12號墓。
磚長36.5、寬17.5厘米。
圖中男子持鞭驅牛耕地。

牛車圖

西晉

出于甘肅嘉峪關市新城12號墓。

磚長36.5、寬17.5厘米。

圖中繪有篷牛車。

牧馬圖

西晉

出于甘肅嘉峪關市新城13號墓前室東壁。

磚長36、寬17厘米。

圖中牧馬人拍擊馬臀，馬鬃毛竪立，後腿微屈。

馬群圖

西晋

出于甘肅嘉峪關市新城13號墓。

磚長36.5、寬17.5厘米。

圖中馬匹或行或臥，應是放牧中的馬群。

羊群圖

西晋

出于甘肅嘉峪關市新城13號墓。

磚長36.5、寬17.5厘米。

圖中描繪放牧中的羊群。

鷄群圖

西晋

出于甘肅嘉峪關市新城13號墓。

磚長36.5、寬17.5厘米。

圖中鷄群應是飼養的家鷄。

宰猪圖

西晋

出于甘肅嘉峪關市新城13號墓。

磚長36.5、寬17.5厘米。

圖中繪待宰之猪。

獨角獸圖

西晉
出于甘肅嘉峪關市新城13號墓。
磚長36.5、寬17.5厘米。
圖中獨角獸作奮力角抵狀。

人物圖

十六國・前秦
出于甘肅高臺縣新壩鄉許三灣村。
木板畫。
圖中人物坐于樹旁，樹另一旁有立馬，畫
面上部有帷幔。
現藏甘肅省高臺縣博物館。

丁家閘十六國墓前室西壁壁畫

十六國·北凉

出于甘肅酒泉市果園鄉丁家閘5號墓前室西壁。

畫面上層繪西王母，中層繪墓主人宴飲行樂，下層繪耕作場面。

西王母圖

十六國・北凉

出于甘肅酒泉市果園鄉丁家閘5號墓前室西壁上層。

圖中西王母盤坐于若木之上，旁有侍女、三足烏和九尾狐等人物和動物，西王母頭上繪滿月，月中有蟾蜍。

燕居與出游圖

十六國·北涼

出于甘肅酒泉市果園鄉丁家閘5號墓前室西壁中層。

高164、寬138厘米。

畫面上部爲男墓主燕居行樂，下部爲女墓主乘牛車出游。

樂舞伎與雜技圖

十六國・北涼

出于甘肅酒泉市果園鄉丁家閘5號墓前室西壁中層。
高70、寬78厘米。

畫面前方上部四人分奏古琴、琵琶、長簫和腰鼓；下部二人于橫置的懸梯上表演雙手倒立的"擲倒"雜技；後部舞女頭挽四髻，身着三色裙，五彩接袖，足着黑履，兩腿跨開，雙手各執一便面。

羽人逐鹿 湯王縱鳥圖（上圖）

十六國·北涼

出于甘肅酒泉市果園鄉丁家閘5號墓前室南壁。

高145、最寬260厘米。

圖中白鹿繪于下部中間部位，作騰空飛馳狀。羽人爲女子形象，肩上生雙翅，裙邊綴羽毛。"湯王縱鳥"的聖賢故事繪于畫面右下角，一老者伸出一面網，正待捕鳥。

羽人圖

十六國·北涼

出于甘肅酒泉市果園鄉丁家閘5號墓前室南壁。

"羽人逐鹿 湯王縱鳥圖"之局部。

白鹿圖

十六國‧北涼

出于甘肅酒泉市果園鄉丁家閘5號墓前室
南壁。

"羽人逐鹿 湯王縱鳥圖"中下之局部。

湯王縱鳥圖

十六國‧北涼

出于甘肅酒泉市果園鄉丁家閘5號墓前室
南壁。

"羽人逐鹿 湯王縱鳥圖"右下之局部。

生命樹圖

十六國·北涼

出于甘肅酒泉市果園鄉丁家閘5號墓前室南壁。

高76、寬114厘米。

圖中樹上立有青鳥、赤猴和鸚鵡，樹下一裸身人物正在耕作，另以七條框綫表現大樹根鬚之發達。

猿與裸女圖

十六國·北凉

出于甘肅酒泉市果園鄉丁家閘5號墓前室南壁。

圖爲“生命樹圖”中下部之局部。

耕作圖（上圖）

十六國·北涼
出于甘肅酒泉市果園鄉丁家閘5號墓。
圖中農夫舉鞭驅牛耕作。

東王公圖

十六國·北涼
出于甘肅酒泉市果園鄉丁家閘5號墓前室。
圖中東王公盤坐于若木之上，頭上繪日輪，日中有金
烏，畫面頂部倒懸龍首。

塢壁圖

十六國・北涼

出于甘肅酒泉市果園鄉丁家閘5號墓前室北壁。

高82、寬89厘米。

圖中塢外環繞桑林，采桑女穿梭其間。另有雞架、雞
窩，群雞或立或臥，兩隻雄雞正躍躍欲鬥。

雙馬圖（上圖）

十六國·北涼

出于甘肅酒泉市果園鄉丁家閘5號墓前室北壁。

高53、寬60厘米。

圖中部繪馬槽，馬槽後繪一樹，雙馬拴于樹幹，牝馬回首，牡馬低首。

農耕圖

十六國·北涼

出于甘肅酒泉市果園鄉丁家閘5號墓前室北壁。

高82、寬101厘米。

圖中繪農夫耕作場景。

信使圖（上圖）

十六國・北涼

出于甘肅酒泉市果園鄉丁家閘5號墓前室北壁。

圖中男子騎馬疾行，手持紙卷文書。

神馬圖

十六國・北涼

出于甘肅酒泉市果園鄉丁家閘5號墓前室。

圖中神馬揚蹄騰空，呼嘯飛馳。馬兩側繪流雲，下部繪昆侖山。

莊園生活圖

十六國·北凉

出于新疆吐魯番市哈拉和卓97號墓墓室北壁。

高55、寬220厘米。

圖中繪男女墓主人、炊厨、弓箭、駝馬和牛車等。

莊園生活圖

十六國·北凉

出于新疆吐魯番市哈拉和卓98號墓墓室北壁。

高62.5、寬225厘米。

圖中繪男女墓主人、侍女、弓箭、炊事、磨糧、葡萄、桑園以及牛車、鞍馬等。

宴樂出行圖

十六國·北凉
出于甘肅敦煌市祁家灣墓。
長37、寬37厘米。
畫面分上下二欄，上欄爲夫婦宴樂圖，兩人坐于地毯之上，觀看馴獸表演；下欄爲牛車出行圖，一僕牽馬引導于前。
現藏甘肅省博物館。

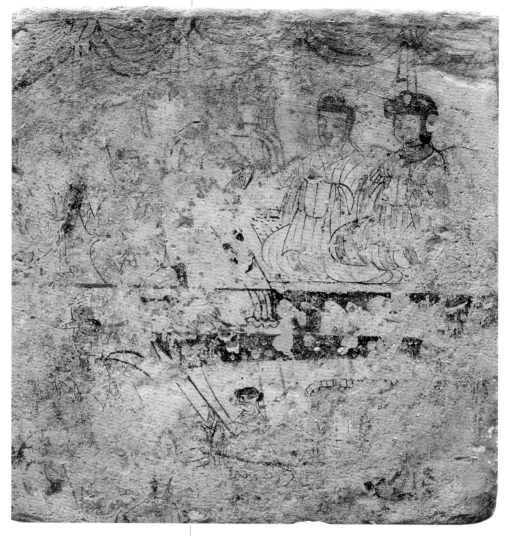

蟾兔圖

十六國·北燕
出于遼寧朝陽市袁臺子墓墓室東壁頂端。
高52、寬80厘米。
圖中左側玉兔、右側蟾蜍皆腿部彎曲，雙手上舉，作用力抬升狀。

侍衛圖

十六國·北燕
出于遼寧朝陽市袁臺子墓墓室西壁。
高116厘米。
圖中侍衛手執環首長刀，紅色刀纓輕輕飄起。

角抵圖

高句麗
出于吉林集安市禹山墓區角抵墓墓室東壁。
高130、寬150厘米。
圖中兩位力士赤膊短褲，奮力角抵，旁側老者似爲裁判。
現藏吉林省博物院。

天象圖

高句麗

出于吉林集安市禹山墓區角抵墓墓頂藻井。

藻井東西兩面下部并行疊澀部分各繪一圓圈，内繪蟾蜍和三足烏。這種日象、月象與中原完全相同，反映了高句麗與中原在觀念方面的互通。

現藏吉林省博物院。

歌舞圖

高句麗

出于吉林集安市舞踴墓墓室東壁右側。

高130、寬150厘米。

圖中上層五人跳擺袖舞，下層七人正在伴唱。

兩晉南北朝（公元二六五年至公元五八九年）

狩獵圖
高句麗
出于吉林集安市舞踴墓墓室西壁左側。
高110、寬135厘米。
畫面中部山巒橫貫，右上部一騎士頭戴
雉翎冠，策馬回首，張弓射鹿。畫面下
部有二騎士，其中一人張弓射虎。

兩晋南北朝（公元二六五年至公元五八九年）

吹角圖（上圖）

高句麗

出于吉林集安市舞蹈墓墓頂藻井東北角第一層抹角
石上。

高35、寬55厘米。

圖中吹角者男扮女裝，披髮高髻，着羽衣羽褲，騰
挪于雲朵間。

獻食圖

高句麗

出于吉林集安市舞蹈墓墓室東壁左上角。

高70、寬100厘米。

圖中兩侍女從厨房中走出，手持食物前行。

出獵圖
高句麗
出于吉林集安市舞踊墓墓室西壁左側。
高110、寬135厘米。
圖中一男子手拿弓箭，策馬飛奔。

攻城甲騎圖
高句麗
出于吉林集安市三室墓第一室北壁右上部。
高30、寬60厘米。
圖中兩將于城下激戰，人與坐騎皆披鎧甲。

托梁力士圖

高句麗

出于吉林集安市三室墓第三室東壁。

高135、寬110厘米。

圖中力士右手托梁枋，左手撐立柱，右臂纏有一蛇，其襠下繪一朵五瓣蓮花。

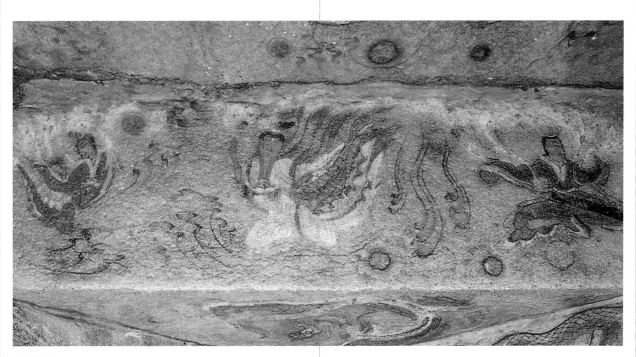

伎樂圖

高句麗

出于吉林集安市五盔墳4號墓藻井北壁第二層頂石上。
全幅高60、寬190厘米。
圖中右側彈琴者正振袖彈撥。中間一人邊擊腰鼓，邊起
舞。左側擊鉢者騰躍空中，飄然自在。

羲和　常儀圖

高句麗

出于吉林集安市五盔墳4號墓藻井北壁第一層抹角石上。
全幅高55、寬160厘米。
圖中羲和擎日居右，男相；常儀擎月居左，女相。二神
之間及尾端繪草樹。

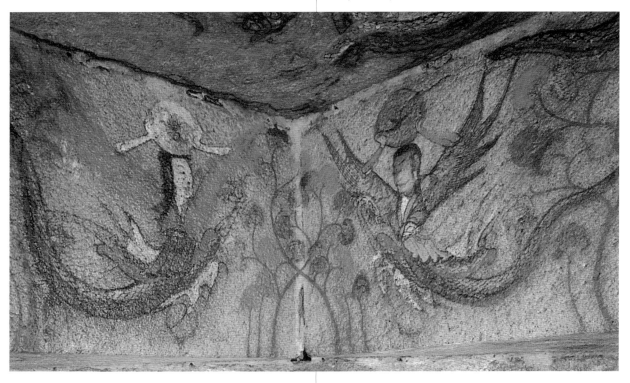

玄武圖

高句麗

出于吉林集安市五盔墳4號
墓墓室北壁岩石面上。

全幅高186厘米。

圖中龜蛇纏繞，雙首相
對。龜張口吐舌，蛇身施
五彩，并飾花紋。

現藏吉林省博物院。

兩晉南北朝（公元二六五年至公元五八九年）

鍛鐵製輪圖（上圖）

高句麗

出于吉林集安市五盔墳4號墓藻井南壁第一層抹角石上。

全幅高55、寬160厘米。

圖中左側一人樹下鍛鐵；右側一人打製車輪。

百戲與逐獵圖

高句麗

出于吉林集安市長川1號墓前室北壁。

高189、寬237厘米。

畫面上部繪伎樂百戲，下部繪山林逐獵，景物彼此交錯。

現藏吉林省博物院。

樂舞與侍從圖

高句麗

出于吉林集安市長川1號墓前室南壁右上角。

高90、寬60厘米。

圖中上部左側爲歌手，右側爲侍女；下部左側爲舞伎，右側爲男侍。

現藏吉林省博物院。

禮佛圖

高句麗

出于吉林集安市長川1號墓前室藻井東部。

高146、寬290厘米。

此墓藻井由六層頂石構成，本圖展現了其中五層，從上至下第二、三層壁畫上繪墓主人禮佛場景。

現藏吉林省博物院。

供養菩薩圖

高句麗

出于吉林集安市長川1
號墓前室藻井北部。
高146、寬239厘米。
畫面由下往上第二、三
層繪四供養菩薩，均側
身向着藻井東部的佛陀
像，作虔誠聽法狀。
現藏吉林省博物院。

両晋南北朝（公元二六五年至公元五八九年）

仙人駕鶴圖
高句麗
出于吉林集安市四神墓藻井西南第一層抹角石上。

高50、寬90厘米。
圖中仙人手執長矛，身着羽衣。
現藏吉林省博物院。

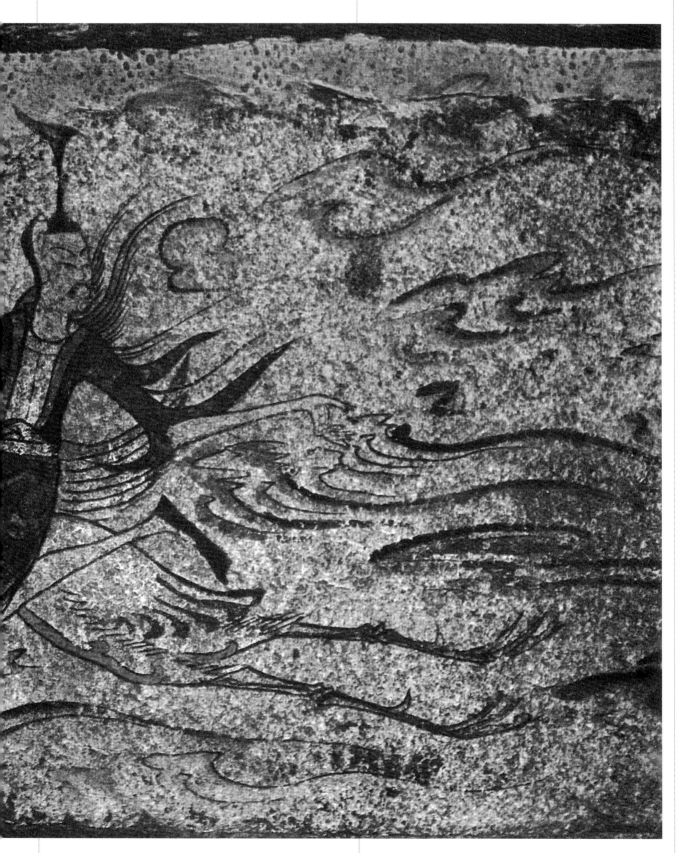

蓮花圖
高句麗
出于遼寧桓仁滿族自治縣雅河鄉米倉溝村將軍墓。
此墓壁畫內容以花紋圖案爲主，不見人物。蓮花飾于四
面主壁，是壁畫的主要內容。

變相蓮花圖
高句麗
出于遼寧桓仁滿族自治縣雅河鄉米倉溝村將軍墓。
飾于第一層叠澀梁的正面，用紅、黃、赭和綠等顏色繪
成。蓮花根蒂相連，形成連續的組合圖案。

蓮花圖

高句麗

出于遼寧桓仁滿族自治縣雅河鄉米倉溝村將軍墓。
圖中蓮花九瓣，五瓣用朱色單綫勾描成形，尖部塗以紅色，四瓣用墨綫勾勒。蓮花下部用墨綫勾描花托。

雙龍圖案

高句麗

出于遼寧桓仁滿族自治縣雅河鄉米倉溝村將軍墓。
飾于每壁的上部和底部。紅地，其上用墨綫繪交頸相對的對稱雙龍圖案。雙龍腹部空白處飾喇叭狀物。

車馬出行圖

北魏

出于山西大同市沙嶺村北魏壁畫墓墓室北壁。

此墓據墓中發現的漆皮題記，可知爲北魏太武帝太延元年（公元435年）鮮卑貴族破多羅太夫人之墓。

北壁壁畫以紅綫隔爲上下兩欄。上欄分六格，繪神獸；下欄繪車馬出行，從上到下共有七列人物，分別爲侍從、導騎、騎樂和儀仗等，隊伍中間爲一輛高大的馬車。

神獸（上圖）
北魏

出于山西大同市沙嶺村北魏壁畫墓墓室北壁上欄。
神獸頭似龍首，體上有翅。

人物
北魏

出于山西大同市沙嶺村北魏壁畫墓墓室北壁。
此圖位于"車馬出行圖"第三和第四列前部。上方爲扛
幡持節的侍衛，下方是抬鼓和吹奏的樂伎。

墓主人夫婦像

北魏

出于山西大同市沙嶺村北魏壁畫墓墓室東壁。

畫面正中繪高大屋宇，屋頂正中站立一隻金翅鳥。屋中掛帷幔，帷幔下端坐墓主人夫婦。屋宇周圍有車輛、馬匹和人物，屋兩側各有一株大樹。

伏羲女媧圖

北魏

出于山西大同市沙嶺村北魏壁畫墓甬道頂部。

伏羲、女媧頭戴花冠，雙手袖于胸前，下半身蛇身長尾交纏。兩人頭部之間有一火焰寶珠。

持盾武士圖

北魏

出于山西大同市沙嶺村北
魏壁畫墓甬道北壁。
武士戴盔着甲，左手持
劍，右手持盾。身旁有一
人面龍身的异獸。

帷屋與侍女圖

北魏

出于河南孟津縣北陳村北
魏墓墓室東壁。
全幅高160、長280厘米。
畫面右側爲帷屋的長方形直櫺窗，窗四角有紅纓裝飾。
左側三侍女梳"丫"形高髻，着紅色或灰色廣袖開領
衫，作舞蹈狀。

兩晉南北朝（公元二六五年至公元五八九年）

武士圖
北魏
出于河南洛陽市元懌墓甬道東壁。
高174厘米。
圖中武士頭戴白色小冠，上身穿雙領廣袖衣，領爲白色，雙袖爲紅色，外着白色裲襠，下身穿白色縛腿褲，足着尖頭履，雙手于胸前執長劍。

武士圖
北魏
出于河南洛陽市元懌墓甬道西壁。
全身高184厘米。
圖中武士頭戴白色小冠，一長簪從左邊插入，口部塗朱。

敕勒川狩獵圖

北魏

出于內蒙古和林格爾縣北魏壁畫墓。

高113、寬163厘米。

圖中繪獵人們帶着獵犬在山間平野上射獵，動物倉惶向
山中逃竄。山脚下有河流淌過，水中可見游魚。

出行和狩獵圖

北魏

出于山西大同市智家堡村北魏墓。

木質棺板彩畫。

殘長153、寬8-33厘米。

畫面包括兩大部分，以山水爲界，左邊爲盛大的車馬出行隊列，右邊爲激烈的狩獵場面。

侍者圖

北魏

出于山西大同市智家堡村北魏墓。

木質棺板彩畫。

殘長133、寬12-32厘米。

圖中以帷屋爲中心，左側爲排列整齊的男女侍僕和馬匹車輛，右側爲庖廚取食捧鉢者。

車輿圖

北魏

出于山西大同市智家堡村北魏墓。

木質棺板彩畫。

殘長60、寬18厘米。

畫面内容主要是形式不同的車輿。

出行圖（上圖)

北魏

出于山西大同市智家堡村北魏墓。

木質棺板彩畫。

圖中以華美的牛車爲中心，展示了盛大的出行場面。

牛車圖

北魏

出于山西大同市智家堡村北魏墓。

木質棺板彩畫。

圖中繪出行場面中的隨從侍者和隨行牛車。

山水　狩獵圖（上圖）

北魏

出于山西大同市智家堡村北魏墓。

木質棺板彩畫。

畫面表現了北方鮮卑民族崇尚狩獵的習俗，繪野獸飛鳥驚慌穿梭于山林中。

奉食圖

北魏

出于山西大同市智家堡村北魏墓。

木質棺板彩畫。

圖中兩侍者跪坐，三足酒尊置于曲足案上。

忍冬紋紋飾圖

北魏

出于山西大同市智家堡村北魏墓石椁南壁門。

石椁彩畫。

圖案爲竪向構圖的帶狀忍冬紋。外圍是紅色邊框，框内以多方連續的"S"形纏枝作主幹構圖，"S"形的每個彎内繪有四枚忍冬紋。

牛車出行圖

北魏

出于山西大同市智家堡村北魏墓石椁南壁。

石椁彩畫。

畫面繪一人馭牛車出行，牛用墨綫勾勒，全身塗紅。人物戴垂裙黑帽，着圓領上衣，下着褲，皂鞋。車後垂簾，捲棚頂上另設帷帳一道。

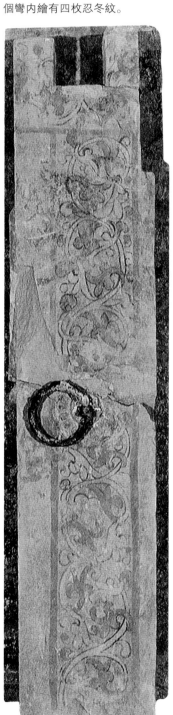

墓主人圖（上圖）
北魏

出于山西大同市智家堡村北魏墓石椁北壁。

石椁彩畫。

圖中共繪人物九人。墓主人夫婦并坐于榻上，其餘七人爲男女侍者，站于墓主人夫婦兩側。

撫琴圖
北魏

出于山西大同市北魏宋紹祖墓石椁内正壁。

石椁彩畫。

此壁畫先用墨綫勾勒出綫條，再施紅彩渲染。繪兩人正在彈琴奏樂。

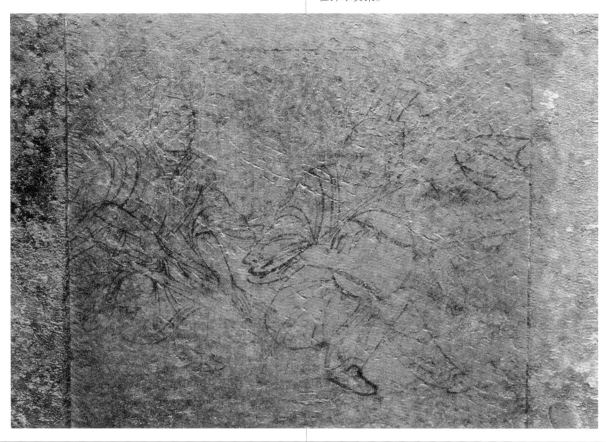

朱雀與方相氏圖
東魏

出于河北磁縣大冢營茹茹公主墓門墻。

高198、上寬約395厘米。

圖中央朱雀，面目凶狠，目光如電，其下方蓮座上置摩尼寶珠。朱雀左右各繪十二方相氏，作馳趨擒拿之狀。此圖寓有驅魔辟邪和祈求升天之意。

茹茹公主墓朱雀與方相氏圖示意圖

崔芬墓墓室北壁壁畫示意圖

玄武圖

北齊

出于山東臨朐縣冶源鎮
崔芬墓墓室北壁中部壁
龕横額。

高95、寬157厘米。

此墓由墓道、甬道和墓
室組成，壁畫繪于墓室
內壁和甬道兩側。墓主
人崔芬爲中下級官吏。
墓內隨葬天保二年（公
元551年）墓志。

圖中巨龜昂首回視，與
蛇首相對。龜背上騎乘
持劍神人，神人束髮戴
小冠。龜體前後各有一
方相氏。

樹下人物屏風畫

北齊

出于山東臨朐縣冶源鎮崔芬墓墓室北壁左下角。

高123、寬95厘米。

墓中共繪屏風八扇，這是其中第二、三幅。圖中人物形
容清癯，嫺雅風流，似與"竹林七賢"題材有關。

人物鞍馬屏風畫

北齊

出于山東臨朐縣冶源鎮崔芬墓墓室西壁北側。

高125、寬100厘米。

左幅爲一樹上拴一白馬；右幅繪主人坐于方席上，侍女
在一旁侍立。

出行圖（上圖）

北齊

出于山東臨朐縣冶源鎮崔芬墓墓室西壁中部壁龕橫額。
高58、寬146厘米。

圖中繪三男十三女由右向左行走，其中左起第三人爲墓主人崔芬，右起第四和第七人爲其夫人。

朱雀圖

北齊

出于山東臨朐縣冶源鎮崔芬墓墓室南壁墓門西側。
高95、寬110厘米。

圖中朱雀兩翅展開，引頸回首，口銜一蓮花狀仙草。

蓮花圖（上圖）

北齊

出于河北磁縣磁州鎮灣漳村北朝壁畫墓墓道地面。
此墓由墓道、甬道和墓室組成。墓道壁畫保存較好，墓
室壁畫損毀嚴重。墓主人可能爲北齊文宣帝高洋。
墓道地面抹白灰，上繪絳紅色邊框將墓道分爲三列，中
間一列繪蓮花，蓮花直徑135厘米，共十四朵。蓮花兩
側繪纏枝忍冬蓮花紋，左右對稱。

忍冬蓮花紋圖

北齊

出于河北磁縣磁州鎮灣漳村北朝壁畫墓墓道地面。
圖案以連續"S"狀纏枝將蓮花忍冬葉串聯爲一體，組
成連續圖案裝飾帶。

两晋南北朝（公元二六五年至公元五八九年）

朱雀圖

北齊

出于河北磁縣磁州鎮灣漳村北朝壁畫墓墓道封門墻上。

高500厘米。

圖中朱雀爲正視形象，展翅佇立，姿態雄健。朱雀左右
各繪一神獸和羽兔，四周飾蓮花和流雲。

灣漳北朝壁畫墓墓道封
門上朱雀示意圖

灣漳北朝壁畫墓墓道東
壁部分壁畫示意圖

両晋南北朝（公元二六五年至公元五八九年）

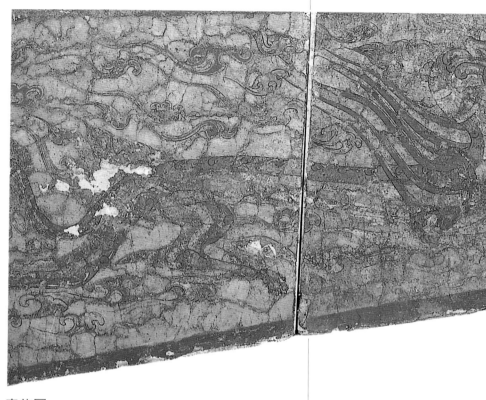

青龍圖

北齊

出于河北磁縣磁州鎮灣漳村北朝壁畫墓墓道東壁。
圖中青龍肩部有翼，頸部和尾部各繪一組火焰紋，周圍
飾紅、褐色雲紋。

朱雀圖

北齊

出于河北磁縣磁州鎮灣漳村北朝壁畫墓墓道東壁。
圖中朱雀作飛翔狀，周圍繪有蓮花、忍冬和彩雲等圖案。

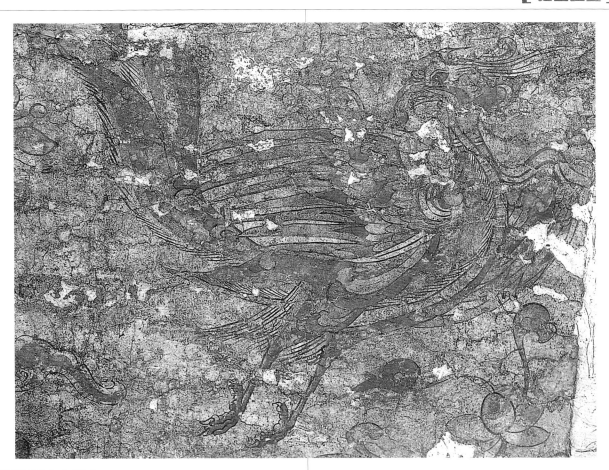

鸞鳥圖（上圖）
北齊

出于河北磁縣磁州鎮灣漳村北朝壁畫墓墓道東壁。
圖中鸞鳥回首，口銜瑞草，周圍飾蓮花紋和雲紋。

仙鶴圖
北齊

出于河北磁縣磁州鎮灣漳村北朝壁畫墓墓道東壁。
圖中仙鶴口銜瑞草，下方飾紅色雲紋。

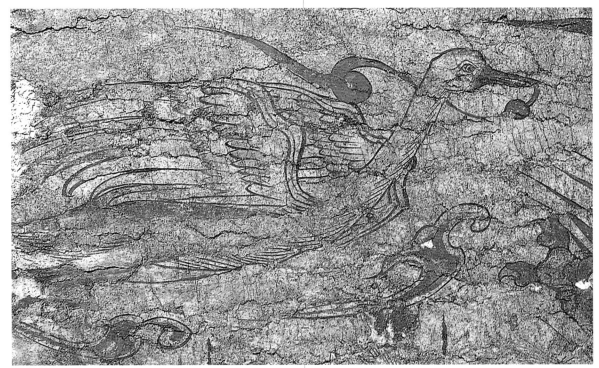

兩晋南北朝（公元二六五年至公元五八九年）

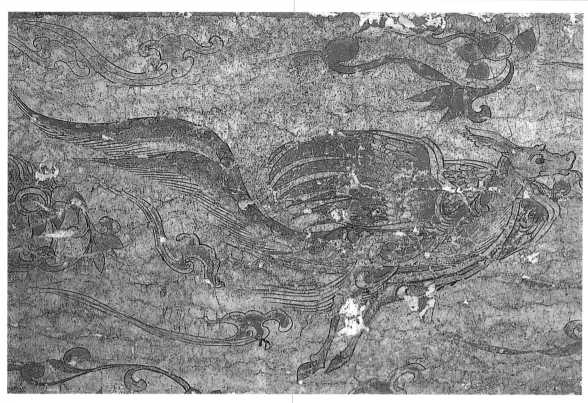

神獸圖（上圖）
北齊
出于河北磁縣磁州鎮灣漳村北朝壁畫墓墓道東壁。
圖中神獸頭似鹿，身似鳥，口銜瑞草，呈飛翔狀。

神獸圖
北齊
出于河北磁縣磁州鎮灣漳村北朝壁畫墓墓道東壁。
圖中神獸昂首，鬣毛後揚，尾部長翎上翹，展翅，呈奔騰狀。

神獸圖

北齊

出于河北磁縣磁州鎮灣漳村北朝壁畫墓墓道東壁。

圖中神獸的肩部和胯部有羽翼，上肢三爪，似鷹爪，下肢二趾，腿部繫獸尾狀獸毛。

儀仗人物圖

北齊

出于河北磁縣磁州鎮灣漳村北朝壁畫墓墓道東壁。
圖中右邊三人戴漆紗籠冠，身穿紅、褐色寬袖長袍，左
邊一人戴獸毛高冠，手中分別持傘蓋、幡、相風鳥和扇
形儀仗。

儀仗人物圖

北齊

出于河北磁縣磁州鎮灣漳村北朝壁畫墓墓道東壁。

圖中人物手中分別持節和棨戟。

儀仗人物頭像
北齊

出于河北磁縣磁州鎮灣漳村北朝壁畫墓墓道東壁。
圖中人物頭戴平巾幘，後有簪導。

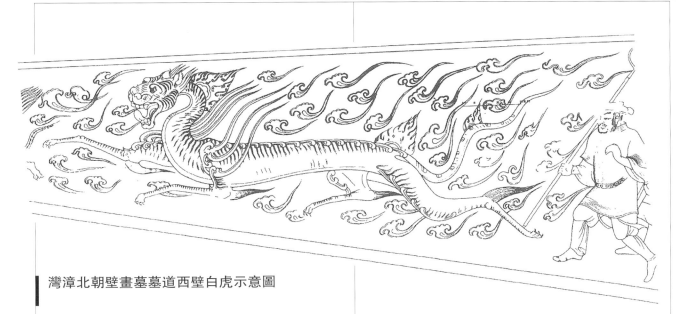

灣漳北朝壁畫墓墓道西壁白虎示意圖

白虎圖
北齊
出于河北磁縣磁州鎮灣漳村北朝壁畫墓墓道西壁。
圖中白虎身如龍，有羽翼，周圍由流雲、蓮花點綴其間。

两晋南北朝（公元二六五年至公元五八九年）

神獸圖（上圖）
北齊
出于河北磁縣磁州鎮灣漳村北朝壁畫墓墓道西壁。
圖中神獸肩和胯部有羽翼，上肢三爪，下肢二趾，周圍
點綴流雲和蓮花等。

千秋圖
北齊
出于河北磁縣磁州鎮灣漳村北朝壁畫墓墓道西壁。
圖中千秋人首鳥身，挽雙鬟髻，朱唇小口，身部展雙
翅，尾部兩條長翎，呈飛奔狀。

文官出行儀仗圖

北齊

出于河北磁縣磁州鎮灣漳村北朝壁畫墓墓道西壁。
儀仗隊伍由真人大小的五十三位文官組成，分別手執戟
盾、鼓樂、旄幡和傘蓋等，神態各异。

兩晉南北朝（公元二六五年至公元五八九年）

文官出行儀仗圖局部

武官出行儀仗圖（上圖）

北齊

出于河北磁縣磁州鎮灣漳村北朝壁畫墓墓道西壁下方。
儀仗隊伍由真人大小的五十三位武將組成，與文官儀仗
相比，多了幾分威武。

忍冬蓮花圖

北齊

出于河北磁縣磁州鎮灣漳村北朝壁畫墓墓道西壁。
圖中忍冬蓮花和雲朵相間飄散于儀仗隊伍上方，枝上一
朵蓮花，花下爲捲曲的忍冬葉。

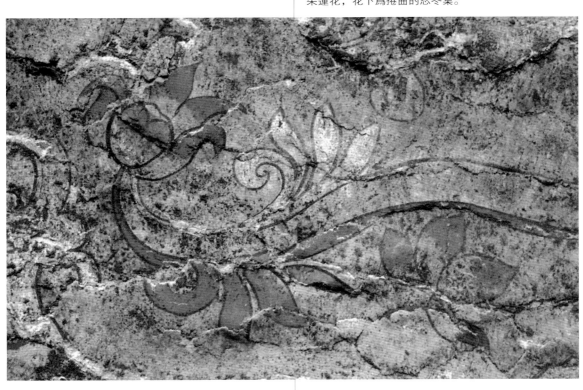

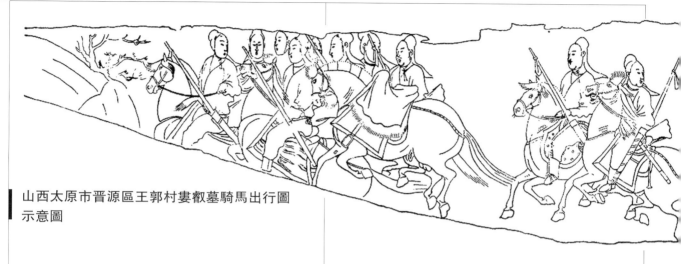

山西太原市晉源區王郭村婁叡墓騎馬出行圖
示意圖

騎馬出行圖

北齊

出于山西太原市晉
源區王郭村婁叡墓
墓道西壁。

高160厘米。

此墓由墓道、天
井、甬道和墓室組
成，各個部分均繪
壁畫。墓主人爲北
齊右丞相、東安
王。墓內隨葬武
平元年（公元570
年）墓志。

圖中人物皆戴黑弁
帽，着圓領或斜領
窄袖衫，足穿長
靴。前兩人爲導
騎，後八人中前方
中部穿紅袍者爲尊
者。此圖爲局部。

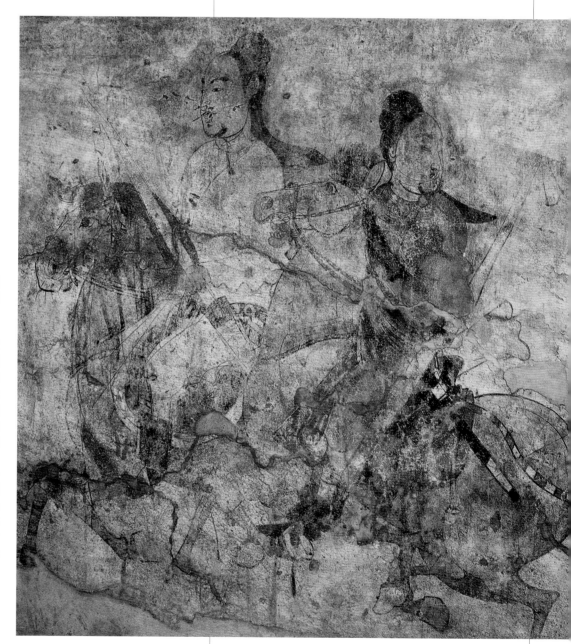

騎馬出行圖

北齊

出于山西太原市晋源區王郭村婁叡墓墓道西壁。

高130、寬168厘米。

此圖爲出行隊伍中部的兩位導騎，年少者穿白衫，年長
者穿紅衫，均腰間佩劍，執鞭策馬。

儀仗圖

北齊

出于山西太原市晉源區王郭村婁叡墓墓道西壁下層。
此圖爲儀仗隊伍的局部。圖中人物分別拱手、持弓和
持旗。

回歸圖

北齊

出于山西太原市晉源區王郭村婁叡墓墓道東壁。
圖中衆人皆拉馬前行，分前後兩組。

兩晉南北朝（公元二六五年至公元五八九年）

武士圖

北齊

出于山西太原市晉源區王郭村婁叡墓墓道東壁。

此圖爲"回歸圖"之局部。

儀衛圖

北齊

出于山西太原市晋源區王郭村婁叡墓墓道東壁下層。

寬80厘米。

圖中衛士拄杖立于樹下。

門吏圖

北齊

出于山西太原市晋源區王郭村婁叡墓甬道西壁。

圖中門吏頭戴貫笄小冠，着紅衫，外披裲襠，拱手而立。

兩晉南北朝（公元二六五年至公元五八九年）

門吏圖

北齊

出于山西太原市晉源區王郭村婁叡墓甬道西壁。

高約90厘米。

圖中門吏頭戴漆紗籠冠，簪貂，儒雅文静。

門吏圖

北齊

出于山西太原市晉源區王郭村婁叡墓甬道東壁。

圖中門吏頭戴貫笄小冠，身着紅色寬袖衫，外披裲襠，拱手而立，神態威嚴。

兩晉南北朝（公元二六五年至公元五八九年）

青龍圖

北齊

出于山西太原市晉源區王郭村婁叡墓墓門門扉。
石門正面施白粉，兩扇門扉上彩繪青龍和白虎。
青龍飛騰于彩雲間。

門額彩繪圖

北齊

出于山西太原市晉源區王郭村婁叡墓墓門門額。
門框上爲浮雕彩繪纏枝蓮花，門額繪瑞獸和瑞
鳥，中央上部繪蓮花寶珠。

樹下侍衛圖
北齊

出于山西太原市晉源區王郭村婁叡墓墓室南壁入口東側。
圖中居前之人頭戴兜鍪，身着甲衣，携套囊弓弩；居後之
人頭戴黑弁帽，作待命狀。

十二辰之牛圖
北齊
出于山西太原市晉源區王郭村婁叡墓墓室上部。
墓室四壁上部按子午方位繪獸形十二辰。此圖爲牛辰，其前後有多隻神獸護從。

两晋南北朝（公元二六五年至公元五八九年）

十二辰之虎與兔圖

北齊

出于山西太原市晉源區王郭村
婁叡墓墓室上部。

此圖爲虎辰和兔辰，虎與兔間繪
奔跑的神獸。上部繪天象圖。

兩晉南北朝（公元二六五年至公元五八九年）

儀仗圖

北齊

出于山西太原
市迎澤區王家
峰村徐顯秀墓
墓道西壁。
此墓由墓道、
過洞、天井、
甬道和墓室組
成。墓內各個
部分均繪壁
畫。墓主人爲
北齊太尉、武
安王。墓內隨
葬武平二年
（公元571年）
墓志。
圖中儀仗人物
列隊面左，或
執旗或佩劍。

儀仗圖

北齊

出于山西太原
市迎澤區王家
峰村徐顯秀墓
墓道東壁。
圖中人物列隊
面右，或執旗
或佩劍。

彩繪朱雀圖

北齊

出于山西太原市迎澤區王家峰村徐顯秀墓墓門東門扇
下部。

底部浮雕青龍，後塗色改繪朱雀。

宴飲圖

北齊

出于山西太原市迎澤區
王家峰村徐顯秀墓墓室
北壁。

畫面中部上懸帷帳，帳
頂兩旁飄流雲狀蓮花，
帳下置矮床榻，榻後立
屏風，男女墓主人坐于
榻上。榻前兩旁侍女侍
奉。榻兩側分別立一隊
男女伎樂。

兩晉南北朝（公元二六五年至公元五八九年）

男墓主人

北齊

出于山西太原市迎澤區王家峰村徐顯秀墓墓室北壁。

"宴飲圖"之局部。男墓主人頭戴折上巾，身披獸皮大衣，項圍獸毛圍脖，內穿紅色交領窄袖長袍，右手持漆碗端坐。

女墓主人

北齊

出于山西太原市迎澤區王家峰村徐顯秀墓墓室北壁。

"宴飲圖"之局部。女墓主人頭梳高髻，內穿淺灰色圓領衫，外穿紅色交領長裙，長裙領部和袖部飾紋樣，右手持漆碗端坐。

兩晉南北朝（公元二六五年至公元五八九年）

備車圖

北齊

出于山西太原市迎澤區王家峰村徐顯秀墓墓室東壁。

畫面正中爲一捲篷頂牛車，車前四人手執三旒旗，車後三人各執羽扇和華蓋。

駕車公牛

北齊

出于山西太原市迎澤區王家峰村徐顯秀墓墓室東壁。
"備車圖"之局部。公牛身體健碩，犄角直立，左蹄抬
起。身後有馭手持繮牽牛。

捧匣侍女
北齊

出于山西太原市迎澤區王家峰村徐顯秀墓墓室東壁。
"備車圖"之局部。侍女頭戴髮套，穿白色長裙，裙
上飾聯珠紋菩薩頭紋飾，外披紅色窄袖長衫，手捧黑
色匣子。

聯珠紋菩薩頭像
北齊

出于山西太原市迎澤區王家峰村徐顯秀墓墓室東壁。
爲"捧匣侍女圖"長裙上的裝飾圖案。菩薩戴花冠，
冠垂繒帶。

兩晉南北朝（公元二六五年至公元五八九年）

備馬圖

北齊

出于山西太原市迎澤區王家峰村徐顯秀墓墓室西壁。

圖中馬前三人手執三旒旗，馬旁一人手舉傘蓋，馬後一人手持羽扇，餘者恭敬侍立。

隨行侍從

北齊
出于山西太原市迎澤區王家峰村徐顯秀墓墓室西壁。
"備馬圖"之局部。

神獸圖

北齊

出于山西太原市迎澤區王家峰村徐顯秀墓墓室南壁。

圖中神獸作向下俯衝狀，雙睛外凸，大齒外露，長舌伸出，面目猙獰。

車馬人物圖

北齊

出于山東濟南市馬家莊道貴墓墓室東壁。

高150、寬340厘米。

車馬人物壁畫分布于墓室東、西兩壁。此圖左側兩位力士手握木杖。中間一侍女。馬後繪一胡奴，朱唇鬈髮，深目高鼻，右手舉一收攏傘蓋。

門樓圖

北周

出于寧夏固原市清河鎮深溝村李賢夫婦合葬墓第一過洞口外上方。

高70、寬140厘米。

圖中門樓雙層，廡殿頂，三開間，一斗三升式斗栱。此墓墓主人爲北周大將軍、河西公夫婦。墓內隨葬天和四年（公元569年）墓志。

侍從伎樂圖

北周

出于寧夏固原市清河鎮深溝村李賢夫婦合葬墓墓室西壁。

高146厘米。

圖中伎樂面相豐腴，頰部暈染成粉紅色。

侍從伎樂圖

北周

出于寧夏固原市清河鎮深溝村李賢夫婦合葬墓墓室南壁東端。

高146厘米。

圖中伎樂右側腰間佩有小圓鼓，鼓身上下兩邊飾蓮瓣紋，中間有帶。

持刀武士圖

北周

出于寧夏固原市清河鎮深溝村李賢夫婦合葬墓第一
過洞東壁。

高140厘米。

圖中武士上着裲襠明光鎧，下着褲褶服，左手反握
刀柄。

持刀武士圖

北周

出于寧夏固原市清河鎮深溝村李賢夫婦合葬墓第一
天井西壁。

高160厘米。

圖中武士上着裲襠明光鎧，下着褲褶服，右臂夾住
刀柄。